楚辭

第二冊

〔戰國〕屈原 等著
崇賢書院 釋譯

北京聯合出版公司

招魂

朕幼清以廉潔兮，身服義而未沫。

主此盛德兮，牽於俗而蕪穢。

上無所考此盛德兮，長離殃而愁苦。

帝告巫陽曰：

有人在下，我欲輔之。

魂魄離散，汝筮予之。

巫陽對曰：

掌夢！上帝其難從！

若必筮予之，恐後之謝，不能復用。

巫陽焉乃下招曰：魂兮歸來！

去君之恒幹，何爲乎四方些？

捨君之樂處，而離彼不祥些。

魂兮歸來！東方不可以託些。

沈存中云今夔峽湖湘及南北江獠人凡禁句尾皆稱些乃楚人舊俗

魂兮歸來

長人千仞，惟魂是索些。
十日代出，流金鑠石些。
彼皆習之，魂往必釋些。
歸來兮！不可以託些。
魂兮歸來，南方不可以止些。
雕題黑齒，得人肉以祀，以其骨爲醢些。
蝮蛇蓁蓁，封狐千里些。
雄虺九首，往來倏忽，吞人以益其心些。
歸來兮，不可以久淫些。
魂兮歸來！西方之害，流沙千里些。
旋入雷淵，靡散而不可止些。
幸而得脫，其外曠宇些。
赤蟻若象，玄蜂若壺些。
五穀不生，藂菅是食些。

其土爛人，求水無所得些。
彷徉無所倚，廣大無所極些。
歸來兮！恐自遺賊些。
魂兮歸來！北方不可以止些。
增冰峨峨，飛雪千里些。
歸來兮！不可以久些。
魂兮歸來！君無上天些。
虎豹九關，啄害下人些。
一夫九首，拔木九千些。
豺狼從目，往來侁侁些。
懸人以嬉，投之深淵些。
致命於帝，然後得瞑些。
歸來！往恐危身些。
魂兮歸來！君無下此幽都些。

砥礪石也穀梁云天子之桷斫之礱之加密石焉注云以細石磨之

土伯九約，其角觺觺些。
敦脄血拇，逐人駓駓些。
參目虎首，其身若牛些。
此皆甘人，歸來！恐自遺災些。
魂兮歸來！入脩門些。
工祝招君，背行先些。
秦篝齊縷，鄭綿絡些。
招具該備，永嘯呼些。
魂兮歸來！反故居些。
天地四方，多賊奸些。
像設君室，靜閒安些。
高堂邃宇，檻層軒些。
層臺累榭，臨高山些。
網戶朱綴，刻方連些。

冬有突廈，夏室寒些。
川谷徑復，流潺湲些。
光風轉蕙，氾崇蘭些。
經堂入奧，朱塵筵些。
砥室翠翹，掛曲瓊些。
翡翠珠被，爛齊光些。
蒻阿拂壁，羅幬張些。
纂組綺縞，結琦璜些。
室中之觀，多珍怪些。
蘭膏明燭，華容備些。
二八侍宿，射遞代些。
九侯淑女，多迅眾些。
盛鬋不同制，實滿宮些。
容態好比，順彌代些。

弱顔固植，謇其有意些。
姱容脩態，絚洞房些。
蛾眉曼睩，目騰光些。
靡顔膩理，遺視矊些。
離榭脩幕，侍君之閒些。
翡帷翠帳，飾高堂些。
紅壁沙版，玄玉梁些。
仰觀刻桷，畫龍蛇些。
坐堂伏檻，臨曲池些。
芙蓉始發，雜芰荷些。
紫莖屏風，文緣波些。
文異豹飾，侍陂陁些。
軒輬既低，步騎羅些。
蘭薄戶樹，瓊木籬些。

魂兮歸來！何遠爲些？
室家遂宗，食多方些。
稻粢穱麥，挐黃粱些。
大苦鹹酸，辛甘行些。
肥牛之腱，臑若芳些。
和酸若苦，陳吳羹些。
胹鱉炮羔，有柘漿些。
鵠酸臇鳧，煎鴻鶬些。
露鷄臛蠵，厲而不爽些。
粔籹蜜餌，有餦餭些。
瑤漿蜜勺，實羽觴些。
挫糟凍飲，酎清涼些。
華酌既陳，有瓊漿些。
歸來反故室，敬而無妨些。

曼澤髮一作鬒艷陸離些艷好貌也左氏傳曰宋華督見孔父之妻目逆而送之曰美而艷言美人長髮工結鬒滑澤其狀艷美儀貌陸離而難具形也

肴羞未通，女樂羅些。
陳鍾按鼓，造新歌些。
《涉江》、《採菱》，發《揚荷》些。
美人既醉，朱顏酡些。
嬉光眇視，目曾波些。
被文服纖，麗而不奇些。
長髮曼鬋，艷陸離些。
二八齊容，起鄭舞些。
衽若交竿，撫案下些。
竽瑟狂會，搷鳴鼓些。
宮庭震驚，發《激楚》些。
吳歈蔡謳，奏大呂些。
士女雜坐，亂而不分些。
放陳組纓，班其相紛些。

鄭衛妖玩，來雜陳些。
《激楚》之結，獨秀先些。
菎蔽象棊，有六簙些。
分曹並進，遒相迫些。
成梟而牟，呼五白些。
晉制犀比，費白日些。
鏗鍾搖簴，揳梓瑟些。
娛酒不廢，沈日夜些。
蘭膏明燭，華鐙錯些。
結撰至思，蘭芳假些。
人有所極，同心賦些。
酎飲盡歡，樂先故些。
魂兮歸來，反故居些。
亂曰：

言屈原放時蘋之草其葉適齊白芷萌芽方始欲生據時所見自傷哀也猶詩云昔我往矣楊柳依依也

獻歲發春兮，汨吾南征。
菉蘋齊葉兮，白芷生。
路貫廬江兮，左長薄。
倚沼畦瀛兮，遙望博。
青驪結駟兮，齊千乘。
懸火延起兮，玄顏烝。
步及驟處兮，誘騁先。
抑騖若通兮，引車右還。
與王趨夢兮，課後先。
君王親發兮，憚青兕。
朱明承夜兮，時不可以淹。
皋蘭被徑兮，斯路漸。
湛湛江水兮，上有楓。
目極千里兮，傷春心。
魂兮歸來，哀江南！

譯文

我自幼思想清廉潔身自好啊，懷抱眞理是始終不變的節操。我堅守這樣的美德啊，卻被世俗卑鄙伎倆阻撓。上天無法明鑒這樣的盛德啊，長久地遭到禍殃憂愁苦惱。上天告訴巫陽說：有個人在下界，我想幫助他；他的魂魄離散開了身體，你要卜筮占卦讓他靈魂還陽。巫陽回答道：「我本是掌夢之官，職在招魂，上天啊，卜筮之命難以服從。你必須給他再行招魂，晚了魂魄萎落性命難保，再來招魂也無用場。」

於是巫陽降到下界招魂說：「魂啊，歸來吧！離開了你的軀體，爲什麼去到四方？拋棄你安樂的國土，而遭逢許多的禍殃噢！魂啊，歸來吧！東方不可以託身，那裏的巨人幾千尺高，專門搜索那些游魂。十個太陽輪番出來，銷熔了石頭和黃金。那裏的人適應這樣的酷熱，靈魂去了必定化爲塵。歸來吧！那裏不可以託身噢！魂啊，歸來吧！南方不可以停留。那裏的人染黑牙齒，抓到人就割肉祭祀，剩下的骨頭剁成肉醬來吃。毒蛇衆多，大狐善奔走千里去尋食。九個頭的毒蛇，來去飄忽游移，呑人入口補其毒。歸來吧！那裏不可以久留噢！

「魂啊，歸來吧！說起西方的禍害，是那千里的流沙！旋風把人捲入轉動的大沙坑，粉身碎骨無法終止嘍。幸而能脫身，四周是荒無人烟的曠野。紅螞蟻猶如象那麼大，黑蜂好像一個大葫蘆。那裏五穀不生長，衹有茅草和棘柴。那裏的泥土燙得灼傷人，找尋水源看不到。往來游蕩沒有依靠，地域廣闊沒有邊界。歸來啊！去西方恐怕會自招禍害！

「魂啊，歸來吧！北方不可以停留！層層冰山高聳入雲天，千里冰雪凍得難以忍受。歸來啊！北方不可以久留嘍！魂啊歸來吧！君王不要上天庭！虎豹把守着九重門，專門啄食下面上來的人。那裏的大力士長有九個頭，頃刻間就可拔倒一片樹林。像豺狼一樣瞪着眼睛，往來游走發出呼呼聲。把人倒掛起來耍一番，將人拋入到深水潭裏。繼而回復報天帝，然後纔能小睡一會兒。歸來吧！去了恐怕就會丟掉性命。

「魂啊，歸來吧！君王不要下到地府去轉悠。守門神的身子彎彎曲曲，個個頭上長着銳利的角。隆起的背膀血淋淋的爪子，追趕起人來奔跑極快。還有種怪物三隻眼睛似老虎，身軀肥大像牛頭。他們都是把人當美食吃不夠。歸來吧！去那自招災難嘍。魂啊歸來吧！從郢都脩門進入都城。專門的男巫來招待你，倒退着在前面爲你指引路程。秦製的竹籠齊地產的絲繩，鄭人縫製的籠衣。招魂的一切用具已齊備，將要拉長聲音呼魂啊。歸來吧！回到你原來居住的宮庭。

「天地和四方，到處有害人的魍魎。一切依照你舊居的樣，生活一定清靜悠閑而舒暢。內室深深廳堂高高，四面是圍着欄杆的回廊。層層的高臺建芳榭，面對着高山好景觀。刻花的門板綴連着紅花格，上面雕刻有精美圖案嘍。冬天有暖和的深房復屋，夏天房間又清涼。河流和池塘環抱往復，潺潺的流水低低吟唱。陽光燦爛微風吹動着蕙草，又吹着叢叢的香蘭不停地搖蕩。芬芳從廳堂一直飄入內室，上有朱紅天棚下有竹地毯。磨光石砌牆翠尾裝飾，玉鈎之上可以掛衣裳。綉着翠鳥的被子綴上珍珠，交相輝映閃閃發亮。柔軟的白綢做護壁，輕羅帳子掛在床上。彩色絲帶和綢條，繫着那美玉和玉璜。室內的所見之物，件件珍貴又特異。在蘭草煉的膏油照耀下，衆多美女隨時聽候調用。十六位女子來侍寢，挑選如意的佳人輪流陪宿。高貴而賢惠的姑娘，才智過人美貌超衆。濃密的鬢髮獨特的梳理，佳麗充滿整個後宮。容貌姿態都很美好，確實是絕代蓋世的佳人。顔面雖柔弱心意卻堅貞，她們都滿懷着深深的情意。容貌美麗體態脩長，往來於那幽深的洞房。細長的蛾眉瀅瀅的眼睛，閃射出迷人的光芒。滑潤的肌膚細膩的面容，暗送秋波脈脈含情。在離宮的亭榭和篷帳中，她們侍奉你度過悠閑的時光。綴有翡翠羽毛的帷帳，裝飾着高大的廳堂。丹砂的板壁紅彤彤的牆，黑色玉石裝飾着房梁。抬頭看精雕細刻的方椽，彩繪有蛇奔和龍翔。閑坐廳堂手扶欄杆，面對下面彎曲的池塘。荷花剛剛開放，芰荷接天相得益彰。水葵紫莖托着圓葉，隨着綠波上下擺蕩。穿着繪有奇紋雲豹服飾的侍衛，在長長的臺階上等待。君王歸來的時刻，步兵

和騎兵肅立在兩旁。芬芳的蘭草種在門前，一行行的玉樹圍成籬笆牆。魂靈啊，歸來吧！爲什麼要去到遠方。

「整個家族團聚在一起，宴席上的食品有幾十樣。糯米小米麥子米，摻雜黃小米香噴噴的飯。調味有大苦和鹹酸，加之辣甜五味都俱全。肥牛小腿腱子肉，煮得又爛又香。調和起酸味與苦味，又端上吳人的肉菜湯。清炖甲魚燒烤小羊，配上甜甜甘蔗糖漿湯。風乾天鵝和野鴨，油煎大雁和煨野鶬鴰湯。醬燜野鷄和大龜肉羹，味道雖濃卻不會把胃口傷。饊子和蜜糖餅，還有乾飴糖。瑤漿美酒加蜂蜜，鳥狀酒杯已斟滿。除去酒糟後用冰鎮，酒的味道既醇又清爽。刻有花紋的酒杯已經擺好，裏面盛的是瓊漿美酒。歸來返舊居，敬食敬酒不妨細細的品嘗。美味佳肴尚未撤去，女樂列隊準備表演。陳設樂鐘擊起樂鼓，演奏新的樂曲《涉江》和《採菱》。還有那《揚荷》的合唱。美女們個個已喝醉，紅顔醉倒臉龐紅潤。嬉戲逗人的目光眯眼斜視，眼神頻頻送秋波。身穿秀衣軟羅裙，雖然華麗卻不過分。長髮漆黑雲鬢美，風采華

艷，令人目眩神迷。起舞的少女同樣的裝扮，翩翩跳起鄭地舞蹈。衣襟回旋交叠，隨着節拍身子往下俯。長竽清瑟狂熱地合奏，嘹亮的鼓聲響起了。樂聲鼓聲震撼宮廷，又奏起楚地名曲《激楚》。接着是吴地蔡地的民歌，並奏起秦鐘大呂。男女座位混雜了，不再顧禮節和身份。解下佩帶脱下帶子隨便放，衣帽放得亂紛紛。鄭衛的雜耍和魔術，穿插其中來表演。最後是《激楚》結尾曲，眞可説是攝人魂魄。鑲玉的籌碼象牙做的棋子，六簿的棋藝擺開了。雙方對局互相進攻，急欲取勝互相逼迫。走成梟棋，大呼五白叫聲喧。晉地製造的帶鈎最考究，白白發光如同太陽照在棋盤。撞鐘鏗鏘架子晃，梓瑟發出聲響也不低。飲酒取樂不能停，沈醉日日夜夜。蘭油點燃的燈火明亮，錯落的彩燈把宮室照的通明。創作詩賦須深思，美麗的文辭眞不少。衆人竭盡才智，不約而同地互相唱和。開懷暢飲極盡歡樂，親朋好友皆盡興。魂啊歸來吧，回到你曾住的舊宮。」

尾聲：春天來臨萬物復甦啊，我匆匆踏上向南的征程。綠綠的嫩葉長的齊整啊，白芷也剛剛萌生。廬江左岸有長林叢叢，背靠池沼和池塘啊，遠望是廣闊平川。青黑色的駟馬駕車啊，車騎千乘整隊出發。火炬延燒野澤啊，黑紅的烟火騰起萬丈。徒步的從獵者追趕飛騎啊，向導馳騁昂揚一馬當先。或止或馳進退自如啊，引車右轉進入獵場。隨君王去雲夢啊，考核隨從者看誰最強。君王親自射利箭啊，青色的野牛應聲而亡。太陽昇起代替茫茫黑夜啊，時光易流逝不肯停留。岸上的芳草覆蓋了小路啊，那河水又淹沒行人的小徑。清清的江水啊，岸上有一片楓林。極目望去路千里，春色雖好心悲愴。魂啊歸來吧！令人哀傷的江南。

大招

青春受謝，白日昭只。
春氣奮發，萬物遽只。
冥凌浹行，魂無逃只。

遽猶競也言春陽氣奮起上帝發泄和氣温燠萬物蠢然競起而生各欲滋茂以言精魂亦宜奮發精明令己盛壯也

魂魄歸來！無遠遙只。
魂乎歸來！無東無西，無南無北只。
東有大海，溺水浟浟只。
螭龍並流，上下悠悠只。
霧雨淫淫，白皓膠只。
魂乎無東！湯谷寂寥只。
魂乎無南！南有炎火千里，蝮蛇蜒只。
山林險隘，虎豹蜿只。
鰅鱅短狐，王虺騫只。
魂乎無南！蜮傷躬只。
魂乎無西！西方流沙，漭洋洋只。
豕首縱目，被髮鬤只。
長爪踞牙，誒笑狂只。
魂乎無西！多害傷只。

魂乎無北！北有寒山，逴龍赩只。
代水不可涉，深不可測只。
天白顥顥，寒凝凝只。
魂乎無往！盈北極只。
魂魄歸來！閒以靜只。
自恣荆楚，安以定只。
逞志究欲，心意安只。
窮身永樂，年壽延只。
魂乎歸來！樂不可言只。
五穀六仞，設菰粱只。
鼎臑盈望，和致芳只。
内鶬鴿鵠，味豺羹只。
魂乎歸來！恣所嘗只。
鮮蠵甘鷄，和楚酪只。

醢豚苦狗，膾苴蓴只。
吳酸蒿蔞，不沾薄只。
魂乎歸來！恣所擇只。
炙鴰烝鳧，煔鶉陳只。
煎鰿臛雀，遽爽存只。
魂乎歸來！麗以先只。
四酎並孰，不澀嗌只。
清馨凍飲，不歠役只。
吳醴白櫱，和楚瀝只。
魂乎歸來！不遽惕只。
代、秦、鄭、衛，鳴竽張只。
伏戲《駕辯》，楚《勞商》只。
謳和《揚阿》，趙簫倡只。
魂乎歸來！定空桑只。

伏戲古王者也始作瑟駕辯勞商皆曲名也言伏戲氏作瑟造駕辯之曲處人因之作勞商之歌皆要妙之音可樂聽也或曰伏戲駕辯皆要妙歌曲也勞絞也以楚聲絞商音爲之清激也

二八接武，投詩賦只。
叩鐘調磬，娛人亂只。
四上競氣，極聲變只。
魂乎歸來！聽歌譔只。
朱唇皓齒，嫭以姱只。
比德好閑，習以都只。
丰肉微骨，調以娛只。
魂乎歸來！安以舒只。
嫮目宜笑，娥眉曼只。
容則秀雅，稚朱顏只。
魂乎歸來！靜以安只。
姱脩滂浩，麗以佳只。
曾頰倚耳，曲眉規只。
滂心綽態，姣麗施只。
小腰秀頸，若鮮卑只。
魂乎歸來！思怨移只。
易中利心，以動作只。
粉白黛黑，施芳澤只。
長袂拂面，善留客只。
魂乎歸來！以娛昔只。
青色直眉，美目媔只。
靨輔奇牙，宜笑嘕只。
豐肉微骨，體便娟只。
魂乎歸來！恣所便只。
夏屋廣大，沙堂秀只。
南房小壇，觀絕霤只。
曲屋步壛，宜擾畜只。
騰駕步游，獵春囿只。

田野也邑居
也周禮九夫
爲井四井爲
邑畛田上道
也

瓊轂錯衡，英華假只。
茝蘭桂樹，鬱彌路只。
魂乎歸來！恣志慮只。
孔雀盈園，畜鸞皇只。
鵾鴻群晨，雜鶖鶬只。
鴻鵠代游，曼鸘鷞只。
魂乎歸來！鳳皇翔只。
曼澤怡面，血氣盛只。
永宜厥身，保壽命只。
室家盈廷，爵祿盛只。
魂乎歸來！居室定只。
接徑千里，出若雲只。
三圭重侯，聽類神只。
察篤夭隱，孤寡存只。

魂乎歸來！正始昆只。
田邑千畛，人阜昌只。
美冒眾流，德澤章只。
先威後文，善美明只。
魂乎歸來！賞罰當只。
名聲若日，照四海只。
德譽配天，萬民理只。
北至幽陵，南交阯只。
西薄羊腸，東窮海只。
魂乎歸來！尚賢士只。
發政獻行，禁苛暴只。
舉傑壓陛，誅譏罷只。
直贏在位，近禹麾只。
豪傑執政，流澤施只。

魂乎歸來，國家爲只。
雄雄赫赫，天德明只。
三公穆穆，登降堂只。
諸侯畢極，立九卿只。
昭質既設，大侯張只。
執弓挾矢，揖辭讓只。
魂乎來歸！尙三王只。

譯文 春天承接着冬天來臨了，明亮的太陽普照大地噢。春天的氣息勃勃奮發，世間萬物都爭相萌生噢。幽冥中的寒氣四處流蕩，魂靈不要到處逃竄噢。魂魄歸來吧！不要遠逃漂搖無定噢。魂喲歸來吧！不要向東西，不要向南北噢。東方有洶湧的大海，迅疾的波濤淹沒萬物噢。蛟龍並行嬉戲從容，隨波逐浪上下游蕩噢。海氣蒸騰猶如霧和雨，白茫茫如膠似漆散不開噢。魂喲不要往東！日出之地多麼寂寞無聲噢。魂喲不要往南！南方有炎炎大火千里之廣，一條條大毒蛇彎曲爬行噢。那裏的深山老林崎嶇險礙，有虎豹來回蟠踞噢。怪魚鰅鱅，射工短狐，還有那蟒蛇抬起頭嚇人噢。魂喲不要往南！含沙射影的短狐要害你噢。魂喲不要往西！西方有流動的大沙漠，如浩蕩的大水沒有邊際。長着豬頭的怪物豎眼橫眉，披散的頭髮又亂糟糟。長長的爪子鋒利的牙齒，強裝笑臉發狂要害人噢。魂喲不要往西！那裏有很多害人精噢。魂喲不要往北！北方有冰冷的雪山，那裏寒山籠罩四季噢。代水沒有辦法淌過去，深覗其底不可測量。大雪紛飛，白色照耀，冰凍的大地嚴寒酷烈噢。魂喲不要前去！寒冰白雪充滿整個北極噢。魂魄歸來吧！安閑也清靜噢。任意隨便在自己的宮庭，安全而又穩定居住噢。如願以償隨心所欲，心情是何等安樂噢。終身常樂，健康長壽噢。魂喲歸來吧！那種快樂是無法言語噢。裝滿五穀的糧倉幾丈高，選菰米進食特別香噢。鼎內煮熟的肉很豐盛，調的味道香噴噴噢。有肥美的鶬鴰、鵓鴿、天鵝，還有切成細絲的豺肉湯噢。

魂喲歸來吧！隨你的嗜好選擇品嘗噢。鮮美的大龜和甜鷄，再配上楚產的奶酪噢。清蒸肉丸和苦汁狗肉，還有加工精細的蘘荷菜噢。吳醋涼拌蒿蔞，味道可是不濃也不淡噢。魂喲歸來吧！隨你的嗜好選擇噢。燒烤老鴰，清蒸水鴨，熏製鶴鶉全擺上噢。油煎鯽魚雀肉湯羹，享用起來清爽可口噢。魂喲歸來吧！衆多美味可要先嘗噢。四次加工的醇酒釀成了，不會因苦澀而難以下咽噢。那清爽冰鎮的醇酒，甘滑可口喝得不費力噢。吳國甜酒白曲釀造，摻合了楚製的清酒噢。魂喲歸來吧！不必擔心，酒不會醉人噢。

代、秦、鄭、衛的音樂，竽樂已經吹的響亮噢。伏羲始作的《駕辯》曲，楚國的名曲《勞商》歌噢。群歌合唱着《陽阿》曲，還有趙國的洞簫領唱噢。魂喲歸來吧！可要你審定空桑之音噢。年輕的姑娘齊舞，配合雅樂的節拍噢。敲響金鐘，調好石磬，心情愉悅直到曲子結束噢。美妙的樂曲競相彈奏，娛人的曲調豐富無比噢。魂喲歸來吧！可觀賞的舞樂都準備好噢。美女朱唇皓齒，俏麗無比啊。性情溫靜且有淑良美德，禮法嫻熟美好而不粗野噢。丰滿的肌肉，嬌小的骨骼，和藹可

親，討人喜歡噢。魂喲歸來吧！生活安逸心情又舒暢噢。美麗的雙眼笑得得體，還有蛾眉彎曲細又長噢。容貌秀麗又文雅，細嫩紅潤的臉龐眞年輕噢。魂喲歸來吧！清靜而又安樂噢。容態美好心性大方，眞是美麗而又艷冶噢。面龐飽滿，雙耳熨帖，雙眉彎曲像半規噢。情感豐富，體態綽約，美麗的身姿舒緩而行噢。細細的腰身，秀氣的脖頸，猶若鮮卑的女人噢。魂喲歸來吧！思念與怨恨都忘卻噢。她們有平和巧慧的內心，都形於那一舉一動噢。施粉畫眉得體合宜，打扮得都芬芳潤澤噢。含情脈脈以長袖遮面，善於殷勤招待客人噢。魂喲歸來吧！可服侍你歡度一整夜噢。黑色的眉毛形平直，美麗的眼睛脈脈含情噢。嘴角的酒窩，美麗的牙齒，笑得恰到好處噢。丰滿的肌肉，嬌小的骨骼，體態輕盈秀美噢。魂喲歸來吧！自然隨便，安然享用噢。高殿峻屋寬又大，丹沙塗紅的廳堂很秀美噢。朝陽的南房還有檐下的小廳堂，觀賞雨天樓上的飛檐噢。樓間的複道，曲折的長廊，恰好通向馴養良驥的馬廄噢。駕車馳騁，徒步游玩，獵在草盛獸多的苑囿噢。

玉嵌車輪，金飾橫木，車飾上還有碩大的香草噢。白芷蘭草，芬芳桂樹，鬱鬱葱葱覆蓋了路。魂喲歸來吧！隨意你的想法噢。孔雀滿園，鸞鳥和鳳凰也在其中噢。鵾鷄大雁紛飛報晨，還摻和着水鳥禿鶖和鳴噢。空中天鵝嬉戲游樂，還有那水鳥低飛漫游噢。魂喲歸來吧！鳳凰已在翱翔噢。

皮膚細膩，滿面喜悅，血氣旺盛，身體强壯噢。總要讓自己心康體適，保有健康長壽噢。宗族列位於朝廷，爵位和俸祿如此多噢。魂喲歸來吧！你的居室十分安定噢。地廣千里，道路交接，人口衆多，若雲出入噢。手執玉圭的貴族重臣，聽察精審如神明噢。訪察民衆夭亡隱痛，鰥寡孤獨得到慰問噢。魂喲歸來吧！奠定好的開端澤被後人噢。田野城邑阡陌縱橫，生活何其昌盛噢。美政惠及百姓身上，君王的恩惠彰顯噢。先施威武服衆，再用禮樂懷人，善美之政效果顯著噢。魂喲歸來吧！賞罰要分明噢。名聲如同那太陽，照耀四海之內噢。君王的美德和榮譽符合天意，就能治理好天下百姓噢。北到遙遠的幽州，南到邊遠的南夷之地噢。西方接近了羊腸山，東方到達了海濱噢。魂喲歸來吧！要尊賢舉能噢。發佈政令，進用德行之士，廢除暴政而尚寬仁噢。舉用俊傑，鎮滿朝廷，貶謫無能無才的小人噢。行直才優的人居於高位，在君王左右輔佐噢。豪傑執掌政權，君王的恩澤如流水延續噢。魂喲歸來吧！國家可大治噢。威武顯赫，比天之德閃耀光明噢。有尊位的三公謙恭和美，朝廷上下議大政噢。諸侯全部到來，設立九卿噢。目標箭靶已經擺好，天子所射的大侯已陳設噢。手持着弓，腋下夾着箭，進退相揖相辭讓噢。魂喲歸來吧，崇尚古代三王噢。

惜誓

惜余年老而日衰兮，歲忽忽而不反。

登蒼天而高舉兮，歷衆山而日遠。

觀江河之紆曲兮，離四海之沾濡。

攀北極而一息兮，吸沆瀣以充虛。

丹水猶赤水也淮南言赤水出崑崙也

飛朱鳥使先驅兮，駕太一之象輿。
蒼龍蚴虬於左驂兮，白虎騁而爲右騑。
建日月以爲蓋兮，載玉女於後車。
馳騖於杳冥之中兮，休息乎崑崙之墟。
樂窮極而不厭兮，願從容乎神明。
涉丹水而馳騁兮，右大夏之遺風。
黄鵠之一舉兮，知山川之紆曲。
再舉兮，睹天地之圜方。
臨中國之衆人兮，託回飆乎尚羊。
乃至少原之野兮，赤松、王喬皆在旁。
二子擁瑟而調均兮，余因稱乎清、商。
澹然而自樂兮，吸衆氣而翱翔。
念我長生而久僊兮，不如反余之故鄉。
黄鵠後時而寄處兮，鴟梟群而制之。

神龍失水而陸居兮，爲螻蟻之所裁。
夫黄鵠神龍猶如此兮，况賢者之逢亂世哉！
壽冉冉而日衰兮，固儃回而不息。
俗流從而不止兮，衆枉聚而矯直。
或偷合而苟進兮，或隱居而深藏。
苦稱量之不審兮，同權概而就衡。
或推移而苟容兮，或直言之諤諤。
傷誠是之不察兮，並紉茅絲以爲索。
方世俗之幽昏兮，眩白黑之美惡。
放山淵之龜玉兮，相與貴夫礫石。
梅伯數諫而至醢兮，來革順志而用國。
悲仁人之盡節兮，反爲小人之所賊。
比干忠諫而剖心兮，箕子被髮而佯狂。
水背流而源竭兮，木去根而不長。

言麒麟仁智之獸遠見避害常藏隱不見有聖德之君乃肯來出如使可得羈繫而畜之則與犬羊無異不足貴也言賢者亦以不可枉屈爲高如可趨走亦不足稱也

非重軀以慮難兮，惜傷身之無功。

已矣哉！獨不見夫鸞鳳之高翔兮，乃集大皇之野。

循四極而回周兮，見盛德而後下。

彼聖人之神德兮，遠濁世而自藏。

使麒麟可得羈而繫兮，又何以異乎犬羊？

譯文

哀傷我的年華日見衰老啊，時光匆匆而過不能回返。我要登上高高蒼天飛昇啊，經歷衆山離家一天比一天遠。看到長江黃河迂回彎曲啊，遭受四海風波心愁身苦。攀登北極之星暫且休息啊，吸風飲露以充空虛。朱雀神鳥飛騰在前引路啊，駕上太一神象牙飾的輦車。青龍屈曲舞動爲我左驂啊，白虎縱横馳騁爲我右驂啊。以日月爲車蓋呀，隨行服侍的玉女於後車。遨游廣袤無邊的宇宙中啊，又休息在神山崑崙大丘。無窮盡的逍遙自樂啊，與神明共游我從容不迫。渡過崑崙西南的赤水開始奔馳啊，一睹天門之外大夏國的遺風。鴻鵠振羽千里衝入高空啊，看到屈曲重叠的高山大河。再次拍打羽翼昇騰空中啊，

即可見天圓地方宇宙四極。俯視九州的蕓蕓衆生啊，我怎能不乘着旋風四方倘佯。於是就抵達那傳說的少原啊，赤松子、王子喬僊子居住的地方。二僊子抱琴調好樂調啊，我也乘興和拍唱起歌曲清商。淡泊自然怡然自處啊，呼吸自然之氣在空中翱翔。雖想與僊人長逝遠游啊，但我還要返回那眷念的故鄉。

鴻鵠遲來想要滯留山村啊，惡鳥鴟梟群集企圖陷害它。水中神龍誤居陸地啊，也會被螻蟻齒啄傷害。鴻鵠神龍尚且遭此禍患啊，何况那遭逢濁世的賢才。年歲流逝日漸衰老啊，年復一年運轉不可停止。世俗人同流合污每况愈下啊，小人群集反要正君子端直。有人投機鑽營爬上高位啊，有人卻明辨是非而隱居山林。無奈君王不權衡比較啊，把讒佞小人與棟梁之才看成同樣。有人專門看君王臉色行事啊，有人直言進諫忠心耿耿。傷痛的是如此忠佞不分啊，偏將茅草絲綫合起搓繩。當今世俗是這樣的混濁啊，迷惑人心是非黑白顛倒。拋棄大澤之龜和崑山的美玉啊，相互卻說那些碎石何等珍貴。梅伯屢次直諫遭到

酷刑啊，順從紂王的人把持國政。悲嘆志士恪守忠貞的節操啊，反而遭到小人紛紛的迫害。比干忠言直諫結果被剖心啊，箕子披髮裝瘋以求自保。江水倒流水源就會枯竭啊，再茂盛的樹木也無法生存。並非看重自身纔思慮危難啊，痛惜的是危害身軀卻無成效。

算了吧！你沒見鸞鳥鳳凰已高高遠離啊，就要棲止沒有人烟的荒野。周游四方回旋觀望啊，細察有聖德之像纔飛臨下降。那頗具神智的鸞鳥鳳凰啊，遠離濁世自我珍重深藏。麒麟這樣的智獸被捆綁束縛啊，和犬羊又有什麼不同？

招隱士

郭璞云桂白樺叢生山峰冬夏常青間無雜木

桂樹叢生兮山之幽，偃蹇連蜷兮枝相繚。山氣巃嵸兮石嵯峨，溪谷嶄巖兮水曾波。猨狖群嘯兮虎豹嗥，攀援桂枝兮聊淹留。王孫游兮不歸，春草生兮萋萋。

歲暮兮不自聊，蟪蛄鳴兮啾啾。坱兮軋，山曲岪，心淹留兮恫慌忽。罔兮沕，憭兮栗，虎豹穴，叢薄深林兮人上慄。嶔岑碕礒兮碅磳磈硊，樹輪相糾兮林木茷骫。青莎雜樹兮薠草靃靡，白鹿麏麚兮或騰或倚。狀皃崟崟兮峨峨，淒淒兮漇漇。獼猴兮熊羆，慕類兮以悲。攀援桂枝兮聊淹留，虎豹鬥兮熊羆咆，禽獸駭兮亡其曹。王孫兮歸來！山中兮不可以久留。

譯文　在那山谷中啊叢生着桂樹，樹幹彎曲、枝條糾結。山中大霧朦朧啊怪石橫生，溪澗陡峭啊水流湍急洶湧。猿猴長嘯啊虎豹嘶吼，攀援在桂枝上啊駐足遠望。落魄的貴人啊遠游不回來，春草已經萌發啊萬物復甦。

到了年底啊我卻孤苦伶仃，蟬兒啾啾鳴叫個不停。霧氣籠罩啊山勢蜿蜒，我心彷徨啊痛苦迷茫。精神恍惚啊驚恐害怕，叢林中遍佈着虎豹的巢穴又讓我魂不附體。山勢陡峭險峻啊高低不平，樹枝糾結纏繞啊縱橫交錯。青莎、薠草啊生長在樹木中間，草葉在隨風飄擺，白鹿、獐子有的在跳躍，有的在休息。鹿角高聳啊好似山峰崢嶸，上面的水珠流下來閃爍着陽光。猿猴啊熊羆，留戀自己的族群而發出悲鳴。攀援在桂枝上啊駐足遠望，虎豹打鬥啊熊羆怒吼，鳥獸們萬分驚恐啊消失得無影無蹤。落魄的貴人回來吧！山中啊不可久留！

七諫

初放

平生於國兮，長於原壄。

高平曰原坰外曰言屈原少生於楚國與君同朝長大見遠棄於山野傷有始而無終也一作野

言語訥澀兮，又無強輔。
淺智褊能兮，聞見又寡。
數言便事兮，見怨門下。

王不察其長利兮，卒見棄乎原壄。
伏念思過兮，無可改者。
群眾成朋兮，上浸以惑。
巧佞在前兮，賢者滅息。
堯舜聖已沒兮，孰爲忠直？
高山崔巍兮，水流湯湯。
死日將至兮，與麋鹿同坑。
塊兮鞠，當道宿。
舉世皆然兮，余將誰告？
斥逐鴻鵠兮，近習鴟梟。
斬伐橘柚兮，列樹苦桃。
便娟之脩竹兮，寄生乎江潭。
上葳蕤而防露兮，下泠泠而來風。
孰知其不合兮，若竹柏之異心。

往者不可及兮，來者不可待。
悠悠蒼天兮，莫我振理。
竊怨君之不寤兮，吾獨死而後已。

【譯文】屈原我生在國都，後來被放逐到原野去了。我言語木訥啊，又沒有勢力強大的後臺提攜我。我才智平庸，見識又很淺薄。我提出過幾次富國安邦的建議，卻因此而得罪了權貴。君主沒有認識到國家的長遠利益啊，聽信了讒言將我放逐到原野。我反省自己的過錯，但卻沒發現有錯的地方。那些奸佞小人勾結起來朋比爲奸，漸漸地君主都被他們迷惑住了。有奸佞的小人在前邊啊，賢良的人都被疏遠了。堯舜那樣的聖主已經沒有了啊，現在還有誰敢盡忠進諫？高山啊巍峨，流水湍急。我快要死了啊，卻祇能和野獸葬在一起。孤獨的我倒在地上，晚上也在路上休息。全天下都是這樣小人當道、忠良受害啊，我又能去和誰傾訴？這相當於攆走聖潔的鴻鵠，卻接近醜惡的鴟梟；砍伐掉美好的橘柚，卻種上惡木苦桃。脩長的美竹生在江邊，上邊枝繁葉茂，可以遮擋露水；下面清涼可以讓涼風拂面。誰料想啊君臣意見不一，就好比竹子和柏樹有了異心。以前的那些聖明的君主啊我已經見不到了，未來的聖明君主啊我又等不及相見了。悠悠蒼天啊，也不辨別這一切來拯救我。我祇能私下裏埋怨君主的昏憒啊，祇有一死纔算結束。

沈江

惟往古之得失兮，覽私微之所傷。
堯舜聖而慈仁兮，後世稱而弗忘。

言堯舜所以有聖明之德者以任賢能慈愛百姓故民至今稱之也弗一作不

齊桓失於專任兮，夷吾忠而名彰。
晉獻惑於驪姬兮，申生孝而被殃。
偃王行其仁義兮，荆文寤而徐亡。
紂暴虐以失位兮，周得佐乎呂望。
脩往古以行恩兮，封比干之丘壟。
賢俊慕而自附兮，日浸淫而合同。

明法令而脩理兮，蘭芷幽而有芳。
苦眾人之妒予兮，箕子寤而佯狂。
不顧地以貪名兮，心怫鬱而內傷。
聯蕙芷以爲佩兮，過鮑肆而失香。
正臣端其操行兮，反離謗而見攘。
世俗更而變化兮，伯夷餓於首陽。
獨廉潔而不容兮，叔齊久而逾明。
浮雲陳而蔽晦兮，使日月乎無光。
忠臣貞而欲諫兮，讒諛毀而在旁。
秋草榮其將實兮，微霜下而夜降。
商風肅而害生兮，百草育而不長。
眾並諧以妒賢兮，孤聖特而易傷。
懷計謀而不見用兮，巖穴處而隱藏。
成功隳而不卒兮，子胥死而不葬。

世從俗而變化兮，隨風靡而成行。
信直退而毀敗兮，虛僞進而得當。
追悔過之無及兮，豈盡忠而有功。
廢制度而不用兮，務行私而去公。
終不變而死節兮，惜年齒之未央。
將方舟而下流兮，冀幸君之發矇。
痛忠言之逆耳兮，恨申子之沈江。
願悉心之所聞兮，遭値君之不聰。
不開寤而難道兮，不別橫之與縱。
聽奸臣之浮說兮，絕國家之久長。
滅規矩而不用兮，背繩墨之正方。
離憂患而乃寤兮，若縱火於秋蓬。
業失之而不救兮，尚何論乎禍凶？
彼離畔而朋黨兮，獨行之士其何望？

礫小石也言己所以懷沙負石甘樂死亡自沈於水者不忍久見懷王壅蔽於讒佞也壅一作雍

日漸染而不自知兮，秋毫微哉而變容。

眾輕積而折軸兮，原咎雜而累重。

赴湘沅之流澌兮，恐逐波而復東。

懷沙礫而自沉兮，不忍見君之蔽壅。

譯文　回顧古往今來的興亡成敗啊，看看君王寵信奸佞小人給國家造成的傷害。堯舜聖明又仁慈啊，後世的人們都在稱贊，百世不忘。齊桓公的失誤就是寵信了佞臣啊，管仲卻因爲忠誠而銘傳後世。晉獻公迷上了驪姬，孝順的申生卻因此而遭殃。徐偃王施行仁政啊，楚文王醒悟後將徐國滅亡。商紂王殘暴而丟掉了王位，周朝卻有呂望相幫。仿效前代的做法施行仁義啊，武王便封比干之墓以示表彰。這樣那些賢能的人便會欽慕而來歸附，時間久了便會同心同德、齊心協力。脩明法度啊申正事理，賢能之士就會像蘭芷散發花香一樣發揮出自己的才能。

苦於爲衆多小人所妒忌啊，箕子看明白這一切便假作癲狂。那些小人不顧國家的利益衹顧着貪圖自己的名利啊，我很鬱悶傷心。將香草做成的佩飾戴在身上啊，路過賣腌魚的鋪子就會失去其香味。正直的大臣們操行端正，卻被小人們排擠、誹謗。現在的世俗風氣已經變化了啊，伯夷餓死在首陽山上。廉潔的人卻爲社會所不容啊，衹有叔齊百世流芳。密佈的烏雲遮蔽了天空，讓日月都黯淡無光。忠貞的大臣想要進諫，但是那些亂進讒言、阿諛奉承的人就在一旁。秋天草木就要結出果實啊，晚上卻降下一場薄霜。凜冽的西風危害萬物啊，使草木凋敝了不再生長。那些小人都嫉妒賢能的人啊，所以賢能的人孤獨而又易遭中傷。心懷富國利民的良策卻不被任用啊，又被排擠到巖洞裏隱居躲藏。伍子胥的功績都被敗壞了，他自己也沒有獲得善終，最後還不得安葬。世俗都是隨波逐流啊，壞風氣已經蔚然成風不講立場。誠信正直的人被排斥，虛僞狡詐的人卻擔當大任。現在後悔已經晚了啊，即便竭盡忠誠也是無濟於事的。那些小人將先王傳下的法制拋棄不用啊，衹盯着一己私利而將國家拋在一旁。我終究不能變節啊衹有殉節而死，可惜我的年紀還不大！我乘着方舟順流而下啊，希望君王

清泠泠以喻潔白殲盡也
滅消也

能醒悟。忠言逆耳會觸怒君王，這很悲哀！伍子胥被害沈於江中這很遺憾！我願意貢獻我的全部才學啊，可惜趕上昏庸的君王。他不醒悟而且又不聽勸啊，合縱連横這麼重要的事情都分不清。君王他聽信奸臣們的浮誇之説啊，滅絶了國祚不再久長。放棄了先王的法制而不用啊，背離了正道朝綱。遭遇憂患纔醒悟啊，就好比在秋天的蒿草上放火，已經無可挽救了。已經犯錯了還不挽救啊，還談什麼祛災乞祥？那些奸佞的小人們朋比爲奸，忠貞卻被孤立的人們還有什麼希望？君王漸漸爲小人們所蒙蔽而他自己卻不知道啊，秋毫再小也可以改變動物的外貌。很多很輕的東西壓在車上也會讓車軸折斷，小錯誤累積起來也會釀成禍殃。我投身到湘沅的流水中啊，恐怕要順水向東流入海洋。我懷揣着泥沙自沈於江中啊，不忍看到君王被蒙蔽的情況！

怨世

世沈淖而難論兮，俗岒峨而嵾嵯。
清泠泠而殲滅兮，溷湛湛而日多。

梟鴞既以成群兮，玄鶴弭翼而屏移。
蓬艾親入御於床笫兮，馬蘭踸踔而日加。
棄捐藥芷與杜衡兮，余奈世之不知芳何。
何周道之平易兮，然蕪穢而險戲。
高陽無故而委塵兮，唐虞點灼而毀議。
誰使正其真是兮，雖有八師而不可爲。
皇天保其高兮，后土持其久。
服清白以逍遥兮，偏與乎玄英異色。
西施媞媞而不得見兮，嫫母勃屑而日侍。
桂蠹不知所淹留兮，蓼蟲不知徙乎葵菜。
處湣湣之濁世兮，今安所達乎吾志？
意有所載而遠逝兮，固非衆人之所識。
驥躊躇於弊輂兮，遇孫陽而得代。
呂望窮困而不聊生兮，遭周文而舒志。

甯戚飯牛而商歌兮，桓公聞而弗置。
路室女之方桑兮，孔子過之以自侍。
吾獨乖剌而無當兮，心悼怵而耄思。
思比干之恲恲兮，哀子胥之慎事。
悲楚人之和氏兮，獻寶玉以爲石。
遇厲武之不察兮，羌兩足以畢斮。
小人之居勢兮，視忠正之何若？
改前聖之法度兮，喜囁嚅而妄作。
親讒諛而疏賢聖兮，訟謂閭娵爲醜惡。
愉近習而蔽遠兮，孰知察其黑白。
卒不得效其心容兮，安眇眇而無所歸薄。
專精爽以自明兮，晦冥冥而壅蔽。
年既已過太半兮，然埳軻而留滯。
欲高飛而遠集兮，恐離罔而滅敗。

囁嚅小語謀私貌也言小人在位以其愚心改更先聖法度背違仁義相與耳語謀利而妄造虛僞以譖毀賢人也

獨冤抑而無極兮，傷精神而壽夭。

皇天既不純命兮，余生終無所依。

願自沈於江流兮，絕橫流而徑逝。

寧爲江海之泥塗兮，安能久見此濁世？

譯文　現在的世俗風氣敗壞而又難以言說啊，世人不辨賢愚、是非不分。清正高潔的人被排擠而退隱啊，貪濁的人卻越來越春風得意。惡鳥梟鴞成群結隊啊，高潔的玄鶴衹能收斂翅膀選擇離開。用雜草蓬艾來鋪床啊，馬蘭滋生異常繁茂。世人將藥芷與杜衡都拋棄了啊，我眞無奈他們竟然不知道什麼是芳草！平坦寬廣的大路啊，爲什麼滿目荒蕪又危險重重？高陽氏無故被冤屈啊，唐堯虞舜蒙受誹謗。當世有誰能站出來主持正義啊，即便是八師在世也無濟於事。

蒼天啊高高在上，大地啊深厚廣博。我穿着清净潔白的衣服逍遥自在啊，就是不和穿着黑色衣服的人一個顏色！美麗的西施不能在君王身邊服侍啊，蹣跚而又醜陋的嫫母卻每天都在君王身旁。桂樹上的蠹蟲不知道適可而止啊，蓼草上的蟲子卻不知道去找甘美的菜吃。我生在這個混亂的世道當中啊，我的志向又如何能舒展？心懷忠貞卻要遠行啊，我本來就不爲大衆所理解啊！駿馬拉着破車艱難前行啊，遇到了孫陽纔得以解脫。呂望窮困潦倒無法維持生計了，遇到了周文王纔得以施展他的大志向啊！甯戚喂牛的時候大聲唱着悲涼的歌啊，齊桓公聽見了便任用了他。客舍旁的女子正在專心不二地採桑啊，路過的孔子欣賞她的貞信所以讓她服侍自己。我卻不爲世所容又沒遇上明主啊，心裏既恐懼又煩亂。我又想起了忠心耿直的比干啊，盡心奉主的伍子胥，爲他們感到悲哀。我又悲嘆那楚人卞和，獻上寶玉卻被當成了石頭。遇到了沒有明察的楚厲王、楚武王啊，兩隻腳都被砍掉了。

奸邪的小人們把持着高位啊，將忠誠正直的人看成什麼？篡改前代聖賢留下的法度啊，最喜歡的就是搞陰謀詭計、胡作非爲。君主親近那些阿諛奉承的小人、疏遠了賢人君子們啊，連美女閭娵都被小人們污蔑爲醜惡的人。君主寵信小人們、拋棄了正直之士啊，又怎麼來辨

荆棘多刺以喻讒賊言己修行清白皎然日明而讒人聚而使不得進也

別良莠？我終究不得爲國效力啊，還被排斥到極遠的地方無所歸附。我自表白專一忠誠光明磊落啊，但是卻因社會黑暗而被蒙蔽。我現在已經年過半百了啊，還挫折連連、停滯不前。我想遠走高飛離開這污濁的社會，又擔心觸犯了法律而身敗名裂。偏偏我遭受的冤屈又沒個盡頭啊，摧殘我的精神讓我過早夭逝。蒼天既然這樣反復無常不循正道啊，我的一生終將孤苦無依。我願自沈於江水中啊，隨着水流向遠方。我寧可成爲江海中的污泥，也不願一直看着這污濁的塵世！

怨思

賢士窮而隱處兮，廉方正而不容。
子胥諫而靡軀兮，比干忠而剖心。
子推自割而飤君兮，德日忘而怨深。
行明白而曰黑兮，荆棘聚而成林。
江離棄於窮巷兮，蒺藜蔓乎東廂。
賢者蔽而不見兮，讒諛進而相朋。
梟鴞並進而俱鳴兮，鳳凰飛而高翔。
願壹往而徑逝兮，道壅絶而不通。

譯文　賢能的人不得志而被迫離世隱居啊，廉潔正直卻爲社會所不容。伍子胥進諫卻慘遭不幸啊，比干忠心耿耿卻被紂王剖心。子推將大腿上的肉割下給重耳吃啊，後來重耳漸漸忘記了他的恩德，對他的猜忌卻越來越深。行爲高尚卻被小人們污蔑爲污濁啊，荆棘這樣的惡草聚集在一起也成了樹林。江離香草被拋棄在破敗的巷子裏啊，帶刺的蒺藜卻任其在東廂房蔓延。君王被蒙蔽以致賢能的人見不到君王啊，奸佞、諂媚的小人卻得到重用而相互吹捧。惡鳥梟鴞成群結隊一起鳴叫啊，鳳凰衹能高遠地飛翔。我想見君王一面後就遠走他鄉啊，但卻是小人當道而使我見不到。

哀命

哀時命之不合兮，傷楚國之多憂。
內懷情之潔白兮，遭亂世而離尤。

言衆人惡明正之直士以君昧不知用之故也

惡耿介之直行兮，世溷濁而不知。
何君臣之相失兮，上沉湘而分離。
測汨羅之湘水兮，知時固而不反。
傷離散之交亂兮，遂側身而既遠。
處玄舍之幽門兮，穴巖石而窟伏。
從水蛟而爲徒兮，與神龍乎休息。
何山石之嶄巖兮，靈魂屈而偃蹇。
含素水而蒙深兮，日眇眇而既遠。
哀形體之離解兮，神罔兩而無舍。
惟椒蘭之不反兮，魂迷惑而不知路。
願無過之設行兮，雖滅沒之自樂。
痛楚國之流亡兮，哀靈脩之過到。
固時俗之溷濁兮，志瞀迷而不知路。
念私門之正匠兮，遙涉江而遠去。
念女嬃之嬋媛兮，涕泣流乎於悒。
我決死而不生兮，雖重追吾何及。
戲疾瀨之素水兮，望高山之蹇產。
哀高丘之赤岸兮，遂沒身而不反。

譯文

悲哀啊我眞是生不逢時，傷心啊楚國多災多難。內心情操無比高潔啊，卻趕上亂世受苦受難。這個社會排斥耿直忠正的人啊，混亂黑暗不分美醜善惡。君臣爲什麼不能相得益彰啊，卻讓我被迫溯沅湘而上和君王分開。我要投身於汨羅湘水中啊，已知社會如此醜惡我便不會再回來。爲遠離君王而悲傷啊心中煩亂，便避世遠居遠離禍端。住在黑暗的屋子中啊，潛伏在巖石的洞穴中。與蛟龍爲友啊，和神龍同休同息。山石爲何如此險峻啊，壓抑着我的靈魂不得舒展。口中含着濛濛的清水啊，太陽西去越來越遠。哀嘆我的身體疲憊不堪啊，精神恍惚魂魄無所依從。想到子椒、子蘭阻攔我回去啊，我的魂魄迷茫不知該向何處去。願我行事沒有過錯啊，即便身敗名裂我也心安自樂。

隍城下池也易曰城復於隍也隍一作湟

痛心啊楚國危亡在即，悲哀啊君王還在倒行逆施。世道就是這樣混亂黑暗，我還在迷茫不知道該去往何方。想到政教出自權臣之門啊，我將要涉江而遠去。想到了女嬃的萬般牽掛啊，我又忍不住涕泪横流。我已決心一死啊，任憑女嬃再三勸我回轉也不改變。嬉戲於湍急的清水中啊，抬頭看曲折險峻的高山。哀痛楚國高丘的紅色岸崖啊，我將投身入水一去不返。

謬諫

怨靈脩之浩蕩兮，夫何執操之不固。
悲太山之爲隍兮，孰江河之可涸。
願承閑而效志兮，恐犯忌而干諱。
卒撫情以寂寞兮，然怊悵而自悲。
玉與石其同匱兮，貫魚眼與珠璣。
駑駿雜而不分兮，服罷牛而驂驥。
年滔滔而自遠兮，壽冉冉而愈衰。

心悇憛而煩冤兮，蹇超搖而無冀。
固時俗之工巧兮，滅規矩而改錯。
郤騏驥而不乘兮，策駑駘而取路。
當世豈無騏驥兮，誠無王良之善馭。
見執轡者非其人兮，故駒跳而遠去。
不量鑿而正枘兮，恐矩矱之不同。
不論世而高舉兮，恐操行之不調。
弧弓弛而不張兮，孰云知其所至？
無傾危之患難兮，焉知賢士之所死？
俗推佞而進富兮，節行張而不著。
賢良蔽而不群兮，朋曹比而黨譽。
邪說飾而多曲兮，正法弧而不公。
直士隱而避匿兮，讒諛登乎明堂。
棄彭咸之娛樂兮，滅巧倕之繩墨。

同志爲友言飛鳥登高木志意喜樂則和鳴求其群而呼其耦鹿得美草口甘其味則求其友而號其侶也以言在位之臣不思賢念舊曾不若鳥獸也詩曰嚶其鳴矣求其友聲又曰呦呦鹿鳴食野之蘋

菎蕗雜於廢蒸兮，機蓬矢以射革。
駕蹇驢而無策兮，又何路之能極？
以直針而爲釣兮，又何魚之能得？
伯牙之絕弦兮，無鍾子期而聽之。
和抱璞而泣血兮，安得良工而剖之？
同音者相和兮，同類者相似。
飛鳥號其群兮，鹿鳴求其友。
故叩宮而宮應兮，彈角而角動。
虎嘯而谷風至兮，龍舉而景雲往。
音聲之相和兮，言物類之相感也。
夫方圓之異形兮，勢不可以相錯。
列子隱身而窮處兮，世莫可以寄託。
眾鳥皆有行列兮，鳳獨翔翔而無所薄。
經濁世而不得志兮，願側身巖穴而自託。

欲闔口而無言兮，嘗被君之厚德。
獨便悁而懷毒兮，愁鬱鬱之焉極！
念三年之積思兮，願壹見而陳詞。
不及君而騁說兮，世孰可爲明之。
身寢疾而日愁兮，情沈抑而不揚。
眾人莫可與論道兮，悲精神之不通。
亂曰：鸞皇孔鳳日以遠兮，畜鳧駕鵝。
雞鶩滿堂壇兮，鼃黽游乎華池。
要褭奔亡兮，騰駕橐駝。
鉛刀進御兮，遙棄太阿。
拔搴玄芝兮，列樹芋荷。
橘柚萎枯兮，苦李旖旎。
甂甌登於明堂兮，周鼎潛乎深淵。
自古而固然兮，吾又何怨乎今之人！

譯文

君王的荒唐糊塗眞讓人怨恨啊，爲什麼他的操守如此不牢固？可悲啊泰山要變成水池了，江河都將要乾涸！我願意等待着機會報效君王施展我的志向啊，又擔心我的言語觸犯了君王的忌諱。最終還是藏在心裏而閉口無言啊，我心裏卻是惆悵不已、獨自悲傷。美玉和頑石放在同一個匣子裏啊，將魚眼睛和珍珠穿在一起。劣馬和駿馬都分不清啊，竟然用疲憊的牛在中間駕車，卻將良馬放在一旁。時間如流水般飛逝啊，我已老去日見衰頹。心中憂愁又煩亂啊，心神不安迷茫無望。

現在的風氣本來就是投機取巧啊，規矩也不遵守，好的措施也已改變。放棄了千里馬不騎啊，駕着劣馬上了路。現在的社會不是沒有良馬啊，其實是沒有王良這樣的善於駕馭的人！良馬見駕車的不是好手啊，便跳脫而離去。沒有量榫眼的大小就做榫頭啊，恐怕尺寸大小會不一樣。不瞭解世道如何就推崇美德啊，恐怕在操行上要被非議。弓弦鬆弛着還沒有張開啊，誰知道箭能射多遠？不處在國家危亡的時刻啊，又怎麼會知道賢士會爲國效忠不避生死？世俗之人都在以佞爲賢

以富爲良啊，作風正派公正廉明的人卻得不到重用。賢良之人被排擠而人單勢孤啊，奸佞的小人相互勾結又相互吹捧。他們的歪理邪說再怎麼裝飾也是歪曲的啊，法度都被篡改了而不再公正。正直的人被迫隱居啊，諂媚的小人卻混入朝廷。拋棄了彭咸秉承的節氣啊，廢除了工匠們訂立的尺度。將香草和麻秆混在一起燃燒了照明啊，用蓬草做的箭射向皮革。騎着瘸驢又沒有鞭子，又能去哪裏？用直直的針做魚鈎去釣魚啊，又能釣到什麼魚？伯牙之所以摔琴絕弦啊，是因爲沒有知音鍾子期再欣賞他的音樂了。卞和抱着璞玉痛哭泣血啊，到哪裏去找巧匠雕琢這塊璞玉？

音調相同就可以相唱和啊，族類相同的也可以相匹配。鳥啼是在召喚它的群體啊，鹿鳴是在尋找伴侶。打擊宮器就會有宮調相應啊，彈奏角器則會有角調齊鳴。猛虎長嘯一聲就會有東風到啊，神龍昇天則會有祥雲相從。聲音之間相互應和啊，說明萬物同類之間會有感應。那方形和圓形就完全不一樣啊，絕對不會相容。列子隱居避世而窮困

潦倒啊，社會不可以讓人安身立命。普通的鳥兒都是成群結隊啊，衹有鳳凰孤單地飛翔而無所依附。身處亂世壯志難酬啊，我寧願在巖洞裏隱居以躲避亂世。我想就此閉口不再對國事發表意見啊，又感念君主曾經對我有所恩德。獨自心懷憂憤啊，我的愁苦沒有盡頭。想到我被放逐這三年中鬱積的感情啊，就想見君王一面以盡情傾訴。無法見到君王讓我說個痛快啊，當世有誰能替我講清楚？卧病在床天天憂愁啊，心情壓抑得不到釋放。世人沒有可以和我論道的啊，悲嘆我的精神交流不得暢通。

結束語：鸞鳳孔雀日漸遠去啊，人們都飼養野鴨野鵝。庭院中鷄鴨在亂跑啊，池塘裏鼃黽在暢游。駿馬都奔走得不見蹤影啊，人們卻用駱駝拉車。將鈍拙的鉛刀進獻給君王啊，卻將太阿寶劍遠遠扔掉。拔掉珍貴的黑靈芝啊，又整齊地種上芋頭。橘樹、柚樹都枯萎了啊，苦李樹卻枝繁葉茂。將破舊的瓦盆擺到高堂之上啊，卻將周朝的寶鼎丟到河水深處。古往今來都是這個樣子啊，我又何必埋怨現在的人！

哀時命

哀時命之不及古人兮，夫何予生之不遘時！

往者不可扳援兮，來者不可與期。

志憾恨而不逞兮，杼中情而屬詩。

夜炯炯而不寐兮，懷隱憂而歷茲。

心鬱鬱而無告兮，衆孰可與深謀？

欿愁悴而委惰兮，老冉冉而逮之。

居處愁以隱約兮，志沈抑而不揚。

道壅塞而不通兮，江河廣而無梁。

願至崑崙之懸圃兮，採鍾山之玉英。

擥瑤木之橝枝兮，望閬風之板桐。

弱水汩其爲難兮，路中斷而不通。

勢不能凌波以徑度兮，又無羽翼而高翔。

然隱憫而不達兮，獨徙倚而彷徉。

遘遇也詩云遘閔多言己自哀生時年命不及古賢聖之出遇清明之時而當貪亂之世也遘一作遭

悵惝罔以永思兮，心紆軫而增傷。
倚躊躇以淹留兮，日饑饉而絕糧。
廓抱影而獨倚兮，超永思乎故鄉。
廓落寂而無友兮，誰可與玩此遺芳？
白日晼晚其將入兮，哀余壽之弗將。
車既弊而馬疲兮，蹇邅徊而不能行。
身既不容於濁世兮，不知進退之宜當。
冠崔嵬而切雲兮，劍淋離而從横。
衣攝葉以儲與兮，左袪掛於榑桑。
右衽拂於不周兮，六合不足以肆行。
上同鑿枘於伏戲兮，下合矩矱於虞唐。
願尊節而式高兮，志猶卑夫禹湯。
雖知困其不改操兮，終不以邪枉害方。
世並舉而好朋兮，壹斗斛而相量。

衆比周以肩迫兮，賢者遠而隱藏。
爲鳳皇作鶉籠兮，雖翕翅其不容。
靈皇其不寤知兮，焉陳詞而效忠？
俗嫉妒而蔽賢兮，孰知余之從容？
願舒志而抽馮兮，庸詎知其吉凶？
璋珪雜於甑窐兮，隴廉與孟娵同宮。
舉世以爲恒俗兮，固將愁苦而終窮。
幽獨轉而不寐兮，惟煩懣而盈匈。
魂眇眇而馳騁兮，心煩冤之忡忡。
志欿憾而不憺兮，路幽昧而甚難。
塊獨守此曲隅兮，然欿切而永嘆。
愁脩夜而宛轉兮，氣涫沸其若波。
握剞劂而不用兮，操規矩而無所施。
騁騏驥於中庭兮，焉能極夫遠道？

隴廉醜婦也孟好女也言世人不識善惡乃以甑之土雜廁圭玉又使醜婦與好女同室也以言君惑不別賢愚也

言己隨從人上游所居卓卓日以高遠中心浩蕩罔然愁思念楚國也

置猿狖於櫺檻兮，夫何以責其捷巧？
駟跛鱉而上山兮，吾固知其不能昇。
釋管晏而任臧獲兮，何權衡之能稱？
箟簬雜於黀蒸兮，機蓬矢以射革。
負擔荷以丈尺兮，欲伸要而不可得。
外迫脅於機臂兮，上牽聯於矰隿。
肩傾側而不容兮，固陿腹而不得息。
務光自投於深淵兮，不獲世之塵垢。
孰魁摧之可久兮，願退身而窮處。
鑿山楹而爲室兮，下被衣於水渚。
霧露濛濛其晨降兮，雲依斐而承宇。
虹霓紛其朝霞兮，夕淫淫而淋雨。
怊茫茫而無歸兮，悵遠望此曠野。
下垂釣於溪谷兮，上要求於僊者。

與赤松而結友兮，比王僑而爲耦。
使梟楊先導兮，白虎爲之前後。
浮雲霧而入冥兮，騎白鹿而容與。
魂眐眐以寄獨兮，汨徂往而不歸。
處卓卓而日遠兮，志浩蕩而傷懷。
鸞鳳翔於蒼雲兮，故矰繳而不能加。
蛟龍潛於旋淵兮，身不掛於罔羅。
知貪餌而近死兮，不如下游乎清波。
寧幽隱以遠禍兮，孰侵辱之可爲？
子胥死而成義兮，屈原沈於汨羅。
雖體解其不變兮，豈忠信之可化？
志怦怦而內直兮，履繩墨而不頗。
執權衡而無私兮，稱輕重而不差。
摡塵垢之枉攘兮，除穢累而反真。

形體白而質素兮，中皎潔而淑清。
時厭飫而不用兮，且隱伏而遠身。
聊竄端而匿跡兮，嘆寂默而無聲。
獨便悁而煩毒兮，焉發憤而紓情。
時曖曖其將罷兮，遂悶嘆而無名。
伯夷死於首陽兮，卒夭隱而不榮。
太公不遇文王兮，身至死而不得逞。
懷瑤象而佩瓊兮，願陳列而無正。
生天墜若過兮，忽爛漫而無成。
邪氣襲余之形體兮，疾憯怛而萌生。
願壹見陽春之白日兮，恐不終乎永年。

譯文　哀痛時運不如古代聖賢啊，我的命運爲什麼生不逢時。逝去的時光我無法追啊，也遇不到後世賢君名主。志向不得伸展心存遺恨啊，我衹有用詩歌來抒發情思。長夜漫漫難以入眠，我心懷隱憂一直到今。心中的愁苦無人瞭解啊，又怎能和讒佞深深談論！憂痛折磨得我有些懈倦啊，衰老慢慢來臨病魔纏身。放逐的愁苦我隱處山澤啊，心志被壓抑又不得飛舉。讒佞阻蔽不能上通於君啊，如臨大江沒有橋梁通不過去。我想去那神山上的懸圃啊，摘採鐘山上玉樹的花瓣。攬取那瓊樹倏長的枝條啊，望着閬風之上的板桐神山。弱水奔騰洶湧無法渡過啊，道路斷絕無法通行。勢不能冒着波浪直接過去啊，身無羽翼無法翱翔。心中憂痛又不能讓君知曉啊，我衹好孤獨地徘徊迷茫。驚恐迷惘久久思索啊，鬱結的隱痛使我更加憂傷。猶豫徘徊還不得不久留啊，陷入饑饉缺糧的困境。空廓山林衹有我孤獨佇立啊，無法忘卻的是那故鄉。空廓寂寞而無親友啊，誰與我共賞這遺留下的芬芳？太陽緩緩西沈就要落下啊，哀嘆我的生命不能久長。車駕破損轅馬也會疲倦啊，徘徊回旋難以向前邁進。自身既不能與污濁世道同流啊，愁不知如何做纔是進退合宜。頭戴着高高的切雲冠啊，腰佩倏長的寶劍縱橫前行。身披的衣裳難以舒展啊，左面的衣袖掛在扶桑上。右面的衣襟掠過不周山啊，不得自由施展於天地四方。在上奉行東方天帝同一法則啊，在下又以唐堯虞舜爲榜樣。願尊奉節操效法古聖賢啊，我的志向尚且不如夏禹商湯。雖知窘步難行不變更操守啊，終不能用邪曲損害正方。世道是互相吹捧結黨營私啊，他們有同樣的標準相衡量。朋黨之間並肩勾結很親密啊，賢者遠遠離去而隱藏。讓鳳鳥住鶴鶉的籠子啊，即便收斂翅膀也容身不下。聰明的君王不幡然醒悟啊，我如何來陳述表白我的忠誠？慣於嫉妒又阻礙賢才啊，誰又能瞭解我的舉止行動？我願抒發這憤懣啊，哪裏知道這是吉是凶？玉器珪璋和瓦盆混雜在一起啊，醜婦和美女同室同宮。世上把它作爲不變的惡習啊，我必將心懷愁苦了結終生。獨自輾轉反側無法入睡啊，憂愁煩悶填滿了心胸。在夢中靈魂遼遠而馳騁啊，心中哀痛憂心忡忡。

我心志遺恨神思不寧啊，路程幽暗渺茫難以前行。孤獨地隱居在這幽暗的山林啊，切腹之痛的痛苦讓我嘆息。漫漫黑夜輾轉反側啊，心情不平如同湧起的波濤。手握曲鑿刻刀沒有刻鏤啊，拿着方圓規矩我無法下手。在庭院中讓駿馬奔跑啊，如何測定它有飛奔千里之能？把猿猴關在牢籠裏啊，怎能責備它無敏捷的技巧？讓跛了腿的甲魚來駕車登山啊，本來就知道它不可能高昇。放棄管晏而任用庸才啊，又如何來衡量比較輕與重？箟簬爲箭混雜在蔴秆之中啊，蓬蒿之箭還奢求穿透盾革。背負肩擔行走丈尺難行啊，不敢伸腰仰頭以免招來罪過。恐懼自身距離弩身太近啊，又擔心牽連射擊被命中。傾肩側背尚不能被容啊，衹好收腹屏息小心翼翼。爲了清白務光投水而死啊，不願讓濁世的污濁玷污。怎能遭受慘重摧殘啊，寧肯身處窘困而隱藏自身。開鑿巖壁築起居室啊，披衣水邊清潔洗浴。山霧蒙蒙清晨到來啊，浮雲霏霏承接我的屋宇。霓虹紛紛伴着朝霞啊，黃昏暗淡愁雨綿綿。說不清的惆悵無所歸依啊，失意遠望曠野中草木茂密。在下垂釣在山間的河谷啊，在上我邀請那飛昇的僊人。和赤松子結爲朋友啊，與王子僑相伴而親近。讓山神梟楊前面引路啊，讓白虎跟隨前後。乘雲霧飛昇高舉啊，騎上白鹿與僊人從容共游。靈魂孤獨漫游無處安身啊，迅疾離去而不得返回。飛昇上游一天天高遠啊，中心浩蕩而愁思傷悲。鸞鳥高翔於白雲之中啊，矰繳也不能把它傷害。蛟龍已潛藏在深淵啊，羅網不能將其牽掛。明知貪食誘餌會遭受災殃啊，不如下游在清潔之流。即便隱身躲藏遠離禍患啊，長久被侵辱怎能不難過？子胥歸神大海成全正義啊，屈子含憤沈江在汨羅。雖遭酷刑而不改變初衷啊，哪有忠信之情可以遷訛？心神跳動內心耿直啊，遵循法度公平正直。執掌權柄不能營私舞弊啊，衡量賢愚輕重別出差錯。洗滌紛紛雜亂的污垢啊，清除累累污穢返於淳眞。形體潔淨表裏如一啊，心中潔白而品德清明。當今是斥退賢才而不用啊，衹好隱伏山林遠禍藏身。姑且不被發現隱藏形跡啊，緘守寂寞不作聲。獨自憂愁而憤懣強烈啊，我要振作抒發心中的悲情。時光逐漸暗淡就要結束啊，終於傷嘆無法後世留名。爲了忠義伯夷餓死在首陽啊，早夭而死不能顯貴榮耀。太公如得不到文王的重用啊，一生也不得施展才能。懷抱瑤象身佩瓊玉啊，多想陳述志向卻無人願聽。生於天地猶若風雲飄逝啊，匆匆消散終究一事無成。邪惡之氣襲擊我的身體啊，疾病慘痛萌發生成。盼望再見一次春天的陽光啊，我那即將完結的生命。

九懷

匡機

極運兮不中，來將屈兮困窮。
余深愍兮慘怛，願一列兮無從。
乘日月兮上征，顧游心兮鄗酆。
彌覽兮九隅，彷徨兮蘭宮。
芷閭兮藥房，奮搖兮衆芳。
菌閣兮蕙樓，觀道兮從橫。
寶金兮委積，美玉兮盈堂。
桂水兮潺湲，揚流兮洋洋。
蓍蔡兮踴躍，孔鶴兮回翔。

回眄周京念先聖也文王都酆武王都鄗二聖有德明於用賢故顧其都冀遭逢也顧一作頯

撫檻兮遠望，念君兮不忘。
怫鬱兮莫陳，永懷兮內傷。

譯文　天道不正常地運轉啊，讓我承受委屈又生活潦倒。我深深地擔憂又傷心不已啊，想向君王一訴衷腸但是卻見之不得。

乘着日月飛昇啊，回首還眷念着鎬酆二京。遍觀九州之地啊，徜徉於華美的宮殿中。香芷的大門啊白芷的房子，香氣襲人。熏草的亭閣啊蕙蘭的樓，樓閣間的道路交錯縱橫。寶石金銀啊俯拾皆是，華美玉石啊聚滿廳堂。芳郁的流水在緩緩地流淌啊，水花四濺水勢浩蕩。碩大的老龜在盡情跳躍啊，孔雀、僊鶴在回旋地飛翔。

憑欄遠望啊，心中懷念君王。鬱悶而又無處傾訴啊，又在久久思念啊不禁悲傷。

危俊

林不容兮鳴蜩，余何留兮中州？
陶嘉月兮總駕，搴玉英兮自脩。

結榮茝兮逶逝，將去烝兮遠游。
徑岱土兮魏闕，歷九曲兮牽牛。
聊假日兮相佯，遺光燿兮周流。
望太一兮淹息，紆余轡兮自休。
晞白日兮皎皎，彌遠路兮悠悠。
顧列孛兮縹縹，觀幽雲兮陳浮。
鉅寶遷兮砏磤，雉咸雊兮相求。
泱莽莽兮究志，懼吾心兮懤懤。
步余馬兮飛柱，覽可與兮匹儔。
卒莫有兮纖介，永余思兮怞怞。

譯文　林中不容鳴叫的蟬兒生存啊，我又何必留在這中國。選擇一個良辰吉日啊集合我的車馬，用美玉、花朵將自己打扮。用香草將給君王的信封好啊我要就此遠去，離開了君王啊去遠方遨游。

路過北方荒遠之地啊看到了巍峨聳立的高山，游歷九天又見到了牽牛星。姑且趁着現在的時光縱情徘徊游蕩啊，天上光芒燦爛啊照耀四方。仰望天神太一啊放慢了腳步，放緩了我的繮繩啊且做休息。天亮了啊日出東方火紅明亮，我的前路無比漫長。回頭看見輕盈飛動的彗星啊，又看到山中的雲氣沈浮迷茫。

太歲星運轉啊隆隆作響，野鷄鳴叫個不停啊雌雄相求。天地廣大無邊啊我又陷入了沈思，擔心自己啊又生憂愁。在飛柱山下放馬緩行啊，看有誰可以做我的伴侶。終究是沒有找到啊，我又陷入了無盡的憂愁。

昭世

世溷兮冥昏，違君兮歸真。
乘龍兮偃蹇，高回翔兮上臻。
襲英衣兮緹䌌，披華裳兮芳芬。
登羊角兮扶輿，浮雲漠兮自娛。
握神精兮雍容，與神人兮相胥。
流星墜兮成雨，進瞵盼兮上丘墟。

覽舊邦兮滃鬱，余安能兮久居！
志懷逝兮心懰慄，紆余轡兮躊躇。
聞素女兮微歌，聽王后兮吹竽。
魂悽愴兮感哀，腸回回兮盤紆。
撫余佩兮繽紛，高太息兮自憐。
使祝融兮先行，令昭明兮開門。
馳六蛟兮上征，竦余駕兮入冥。
歷九州兮索合，誰可與兮終生？
忽反顧兮西囿，睹軫丘兮崎傾。
横垂涕兮泫流，悲余后兮失靈。

譯文 世間如此混濁黑暗啊，我將離開君王啊回歸本真。乘着神龍扶搖直上啊，高高地回旋翺翔到了天庭。

穿上我鮮艷無比的上衣啊絢麗奪目，披上我華美的下裳啊芬芳襲人。乘着旋風扶搖直上啊，在銀河中暢游啊自娛自樂。振作精神啊神態雍容，等待着和僊人見面。天上的流星隕落啊好像急雨，我邊走邊看登上了山丘。看見故國啊雲氣彌漫，我又怎能在這裏長久逗留！想要遠走高飛啊又憂愁不已，放緩了腳步頗爲躊躇。聽見了素女婉轉低沈的歌聲，耳邊響起了王后悠揚清越的竽聲。我的靈魂憂傷啊頗爲悲哀，心中煩亂愁鬱啊糾結異常。撫摸着我的佩飾叮當作響，長嘆一聲自憐自傷。讓祝融啊在前面開路先行，又讓昭明去開啓天門。乘着六條蛟龍拉的車向上奔馳啊，高飛啊我的車駕飛昇上了天。

游歷九州啊尋找同道的人，誰可以和我爲友終生？忽然回頭看啊西方的園囿，看見了巍峨的高山險峻崢嶸。我不禁潸然泪下，悲嘆我那昏庸糊塗的君王。

尊嘉

季春兮陽陽，列草兮成行。
余悲兮蘭生，委積兮從横。
江離兮遺捐，辛夷兮擠臧。

虬螭水禽馳在前也又作文蛇在前也一云蛟龍沃兮

伊思兮往古，亦多兮遭殃。
伍胥兮浮江，屈子兮沈湘。
運余兮念兹，心内兮懷傷。
望淮兮沛沛，濱流兮則逝。
榜舫兮下流，東注兮礚礚。
蛟龍兮導引，文魚兮上瀨。
抽蒲兮陳坐，援芙蕖兮爲蓋。
水躍兮余旌，繼以兮微蔡。
雲旗兮電騖，儵忽兮容裔。
河伯兮開門，迎余兮歡欣。
顧念兮舊都，懷恨兮艱難。
竊哀兮浮萍，泛淫兮無根。

譯文　晚春時節啊陽光明媚，百草繁盛啊排列成行。我悲嘆啊蘭花凋零枯萎，枝葉堆積交錯在一起凌亂不堪。芳香的江離啊被扔在一旁，美麗的辛夷啊也遭遇了冷落。我追憶前世的賢人啊，大多也是這樣的命運。忠貞的伍子胥被棄尸江中，耿正的屈原自沈於湘水。

我轉念又想到了自己的遭遇啊，心中不禁萬分悲傷。望着淮水浩蕩流去啊，站在水邊很想隨水而去。駕着船順流而下啊，東流而下啊聽見陣陣濤聲。蛟龍啊在前方爲我引路，文魚啊助我穿越急流。拔取蒲草啊做成坐席，摘下荷花啊蓋在船上。水波翻捲啊水珠濺到了我的旌旗上，水中的小水草都捲進了我的船中。雲彩做我的旗啊像閃電一樣前進，小船風馳電掣般向前啊水波蕩漾。河伯啊打開它的大門，高興異常啊將我迎接進去。我又想起了我的故國，心生悲憤啊感嘆前路艱難。暗地裏悲嘆啊我好像那水中的浮萍，四處漂泊啊居無定所。

思忠

登九靈兮游神，靜女歌兮微晨。
悲皇丘兮積葛，衆體錯兮交紛。

言己見美大之丘葛草緣之而生交錯茂盛人不異而採取則不成也以言楚國士民衆多君不異而舉用則不知其有德也

貞枝抑兮枯槁，枉車登兮慶雲。
感余志兮慘慄，心愴愴兮自憐。
駕玄螭兮北征，向吾路兮蔥嶺。
連五宿兮建旄，揚氛氣兮爲旌。
歷廣漠兮馳騖，覽中國兮冥冥。
玄武步兮水母，與吾期兮南榮。
登華蓋兮乘陽，聊逍遙兮播光。
抽庫婁兮酌醴，援瓟瓜兮接糧。
畢休息兮遠逝，發玉軔兮西行。
惟時俗兮疾正，弗可久兮此方。
寤辟摽兮永思，心怫鬱兮內傷。

譯文 登上九天啊放鬆精神，聽到神女在清晨淺吟低唱。悲嘆啊巍峨的大山上滿是葛草，枝葉蔓生糾結繁亂。正直的枝條啊因被壓制而枯萎，邪惡的車駕啊卻顯赫尊貴盛氣凌人。一想到這些我就悲痛不已啊，憂傷難當啊獨自哀憐。

駕着玄螭向北奔去啊，我的前路啊指向那高大的蔥嶺。將五個星宿連起來作爲我的大旗啊，彌漫的雲霧啊就是我的旗幟。在廣闊的天地間縱橫馳騁啊，俯瞰中國大地啊昏暗不明。玄武之神和水神啊都來送我，與我約好啊在南方再會。登上華蓋群星啊到了天上，暫且逍遙游蕩啊在瑤光星當中。提起庫婁星斟酒啊，拿過瓟瓜星果腹。休息好了啊我要就此遠去，開動車子啊向西前行。

想到現在的社會是正直的人受到排擠啊，我就決定不可在這裏久留。醒來便捶胸頓足啊愁緒依舊，心中鬱鬱啊黯然神傷。

陶壅

覽杳杳兮世惟，余惆悵兮何歸？
傷時俗兮溷亂，將奮翼兮高飛。
駕八龍兮連蜷，建虹旌兮威夷。
觀中宇兮浩浩，紛翼翼兮上躋。

念己道藝可悅樂也詩云見君子我心則夷夷喜也

浮溺水兮舒光，淹低佪兮京沶。
屯余車兮索友，睹皇公兮問師。
道莫貴兮歸真，羨余術兮可夷。
吾乃逝兮南娭，道幽路兮九疑。
越炎火兮萬里，過萬首兮嶷嶷。
濟江海兮蟬蛻，絕北梁兮永辭。
浮雲鬱兮晝昏，霾土忽兮塺塺。
息陽城兮廣夏，衰色罔兮中怠。
意曉陽兮燎寤，乃自譋兮茌茲。
思堯舜兮襲興，幸咎繇兮獲謀。
悲九州兮靡君，撫軾嘆兮作詩。

譯文 看現在的世道啊黑暗污穢，我心惆悵啊哪裏是我的歸程？感傷這世俗啊混亂污濁，我要展翅翱翔啊遠走高飛。乘着八條神龍啊盤旋而上，樹起彩虹做我的旌旗啊隨風飄揚。俯瞰天下啊如此廣大，振翅疾飛啊向上高翔。浮渡弱水啊光彩煥發，暫在沙洲啊停留游蕩。聚集我的車馬啊尋找摯友，看到了天帝啊向他請教。天帝說道之最高便是歸眞反樸，稱贊我的道術啊着實可喜。我要遠去南方嬉戲啊，取道小路啊在那神山九嶷。跨越衝天火焰啊綿延萬里，路過萬座海島啊巍峨高峻。渡過江海啊我得到了解脫，越過北面的橋梁啊我永遠辭別。浮雲彌漫啊白晝便天昏地暗，塵土混濁啊四處飛揚。我歇息在陽城的大屋子裏啊，精神鬆懈啊身體疲憊。但是我的思緒仍然很清晰啊，於是就在這裏自我反省。想到堯舜二位賢主相繼而興啊，有幸有皋陶這樣的賢臣爲他們出謀劃策。悲哀啊遍觀九州都沒有明君，我衹有靠着車軾長吁短嘆啊賦詩以表我的眞心。

九嘆

逢紛

伊伯庸之末冑兮，諒皇直之屈原。

諒信也論語曰君子貞而不諒言屈原承伯庸之後信有忠直美德甚於衆人也直一作貞

云余肇祖於高陽兮，惟楚懷之嬋連。
原生受命於貞節兮，鴻永路有嘉名。
齊名字於天地兮，並光明於列星。
吸精粹而吐氛濁兮，橫邪世而不取容。
行叩誠而不阿兮，遂見排而逢讒。
后聽虛而黜實兮，不吾理而順情。
腸憤悁而含怒兮，志遷蹇而左傾。
心懭慌其不我與兮，躬速速其不吾親。
辭靈脩而隕志兮，吟澤畔之江濱。
椒桂羅以顛覆兮，有竭信而歸誠。
讒夫藹藹而漫著兮，曷其不舒予情。
始結言於廟堂兮，信中塗而叛之。
懷蘭蕙與衡芷兮，行中壄而散之。
聲哀哀而懷高丘兮，心愁愁而思舊邦。

願承閒而自恃兮，徑淫曀而道壅。
顏黴黧以沮敗兮，精越裂而衰耄。
裳襜襜而含風兮，衣納納而掩露。
赴江湘之湍流兮，順波湊而下降。
徐徘徊於山阿兮，飄風來之洶洶。
馳余車兮玄石，步余馬兮洞庭。
平明發兮蒼梧，夕投宿兮石城。
芙蓉蓋而蔆華車兮，紫貝闕而玉堂。
薜荔飾而陸離薦兮，魚鱗衣而白蜺裳。
登逢龍而下隕兮，違故都之漫漫。
思南郢之舊俗兮，腸一夕而九運。
揚流波之潢潢兮，體溶溶而東回。
心怊悵以永思兮，意晻晻而日頹。
白露紛以塗塗兮，秋風瀏以蕭蕭。

水性清潔平正順而不爭故以喻屈原也言水逢風紛亂揚波滂沛失其本性以言屈原志行清白遭逢貪佞被過放逐亦失其本志也一作紛

身永流而不還兮，魂長逝而常愁。

嘆曰：

譬彼流水，紛揚磕兮。波逢洶湧，濆滂沛兮。

揄揚滌蕩，漂流隕往，觸崟石兮。

龍邛脟圈，繚戾宛轉，阻相薄兮。

遭紛逢凶，蹇離尤兮。垂文揚采，遺將來兮。

譯文

伯庸的子孫啊，就是我非常正直的屈原。我的先祖是高陽帝啊，我與楚懷王是親族相連。屈原我秉承着堅貞的節操降生啊，希望有遠大的前途被賜予美好的姓名。我的名字與天地齊高啊，像天上的星星一樣明亮。我吸取天地之間的精華吐出污濁之氣啊，就算身處邪惡的世界也能夠不混同俗流。我待人眞誠不阿諛奉承啊，於是遭到排擠和誹謗。君王聽信讒言而貶黜忠臣啊，不理睬我卻順應奸臣的虛情假意。我的滿腔怨憤怒火中燒啊，意志頹喪精神不振。我難過君王的不信任啊，苦惱君王不親近我。我告別君王悵然若失啊，到湖畔江濱吟唱。賢人就算遭受厄運，還是竭盡忠信誠摯。衆多的人紛紛污蔑別人贊揚自己，爲何不讓我表明心志。

當初我和君王在廟堂前約好了啊，現在他卻在中途就背棄了約定。我懷抱蘭蕙衡芷啊，衹好將它們拋在荒野中。我嘆息悲鳴懷念朝廷啊，心中憂愁想念郢都。我想要等待時機爲國盡忠啊，怎知前途昏暗道路阻塞。我的面色很黑心中沮喪，精神失意並日漸衰老。風吹動着我的衣裳啊，露水沾濕了我的上衣。船在湘江中航行啊，波濤滾滾順流而下。船在山谷前徘徊着啊，旋風來勢洶洶。我駕着馬車來到玄石山，在洞庭湖邊休息。天剛亮時從蒼梧山出發，傍晚時到達了石城山。蓋像荷花車像菱花啊，紫貝砌樓闕白玉鋪廳堂。薜荔做裝飾香草做卧席啊，上衣像魚鱗一樣美麗而下裳非常潔白。我登上逢龍山向下眺望啊，已經離開祖國那麽遠了。我懷念郢都的風物習俗啊，愁腸一晚九轉。湘江水又深又廣啊，波濤洶湧將我送到東方。我的心裏惆悵長久思慮啊，精神抑鬱越來越頹廢。白露紛紛落了厚厚一層啊，秋風呼呼颳過。

墉墻也易曰射隼於高墉之上言冤之生早失其雄其母孤居吟於高墻之上將復遇害也言己亦失其所居在於林澤居非其處恐顛僕也

我的身體隨江水長流不還啊，我的靈魂遠去常常憂愁。

多麼可嘆啊：就像流水一樣，浪花撞擊巖石四處飛濺。狂風捲起巨浪，波濤洶湧聲勢浩大啊。飛花四濺水流激蕩，往下流奔騰而去，撞擊在尖銳的山石上啊。水流回旋搏擊，盤旋纏繞，終被攔阻啊。遭遇到禍患，遭受了誹謗。揮筆寫成這篇文采飛揚的作品，留給後人體會我的思慮啊。

怨思

惟鬱鬱之憂毒兮，志坎壈而不違。

身憔悴而考旦兮，日黃昏而長悲。

閔空宇之孤子兮，哀枯楊之冤鶵。

孤雌吟於高墉兮，鳴鳩棲於桑榆。

玄蝯失於潛林兮，獨偏棄而遠放。

征夫勞於周行兮，處婦憤而長望。

申誠信而罔違兮，情素潔於紐帛。

光明齊於日月兮，文采燿於玉石。

傷壓次而不發兮，思沈抑而不揚。

芳懿懿而終敗兮，名靡散而不彰。

背玉門以犇鶩兮，蹇離尤而干詬。

若龍逢之沈首兮，王子比干之逢醢。

念社稷之幾危兮，反為讎而見怨。

思國家之離沮兮，躬獲愆而結難。

若青蠅之僞質兮，晉驪姬之反情。

恐登階之逢殆兮，故退伏於末庭。

孽臣之號咷兮，本朝蕪而不治。

犯顏色而觸諫兮，反蒙辜而被疑。

菀蘼蕪與菌若兮，漸藁本於洿瀆。

淹芳芷於腐井兮，棄雞駭於筐簏。

執棠溪以刜蓬兮，秉干將以割肉。

檻檻車聲也詩云大車檻檻言己放去山中車行檻檻鳴有節度自傷不遇心愁思也

經營原野，杳冥冥兮

筐澤瀉以豹鞹兮，破荆和以繼築。時溷濁猶未清兮，世殽亂猶未察。欲容與以俟時兮，懼年歲之旣晏。顧屈節以從流兮，心鞏鞏而不夷。寧浮沅而馳騁兮，下江湘以邅回。

嘆曰：

山中檻檻，余傷懷兮。征夫皇皇，其孰依兮。經營原野，杳冥冥兮。乘騏騁驥，舒吾情兮。歸骸舊邦，莫誰語兮。長辭遠逝，乘湘去兮。

譯文 我的心中憂傷愁苦啊，遭遇坎坷卻沒有改變志向。我的身心不安而夜不能寐直到天亮啊，再從早到晚一直悲傷難過。可憐啊空屋中的孤兒，哀傷啊枯楊樹上的雛鳥。離群的雌鳥在高牆上悲鳴啊，啼叫的斑鳩在桑榆樹上棲息。黑猿離開了又密又深的叢林啊，被放逐到很遠的地方。征夫在路上行役不歸啊，家中的妻子在翹首遠望。我一再重申不會違背誠信啊，感情就像束帛般潔淨。我的美德可以與日月爭光啊，我的文采比玉石還要閃耀。我受到壓抑難以伸展抱負啊，情思遭到抑制不能高揚。芬芳的鮮花最終也要凋敗啊，聲名最終也會消逝無法彰顯。

離開宮廷我要遠去啊，是不願意遭受罪過而自取其辱。就像關龍逢勸諫夏桀反被斬首啊，比干勸諫商紂卻慘遭酷刑。我擔心國家的命運危在旦夕啊，卻被衆人仇恨埋怨。我憂慮國家將要遭受禍患，我自己卻獲罪受難。讒人可以像青蠅一樣反復無常啊，也可以像驪姬一樣顛倒黑白。我擔心走到君王身邊會遭到禍患啊，所以衹好在遠處躲藏起來。孽臣賊子在朝廷上大聲喧嘩啊，國家混亂命運危殆。我觸犯君王直言規勸啊，反而因受到猜疑而遭受罪過。蘼蕪、菌若等混雜在一起

啊，藁本被浸泡在小水溝裏。芳香的白芷被漚在臭水井裏啊，珍貴的犀角被扔在筐裏。用棠溪利劍去砍蓬蒿啊，用干將寶劍去切肉。豹皮製成的口袋裏裝滿了惡草啊，大棒槌打爛了玉璧。時代混濁是非不分啊，世道混亂好壞不明。想要安逸自得以等待時機啊，又擔心上了年紀變得衰老。想要改變節操隨波逐流啊，心中又鬱悶憂懼很不願意。寧可到沅水之上浮游馳騁啊，也不想下到湘水上徘徊嬉游。

多麼可嘆啊：山裏車聲陣陣啊，讓我傷心。征夫惶惶不安，他們去哪裏尋找依靠啊。在原野上來來往往，大地一片蒼茫啊。騎上駿馬盡情馳騁，讓我的心情舒暢啊。死後我想讓尸骨葬在故鄉，這種感情不知該向誰講述啊。永別楚國從此遠去，順着湘水漂向遠方啊。

遠逝

志隱隱而鬱怫兮，愁獨哀而冤結。

腸紛紜以繚轉兮，涕漸漸其若屑。

情慨慨而長懷兮，信上皇而質正。

隱隱憂也詩云憂心殷殷

合五嶽與八靈兮，訊九鬿與六神。
指列宿以白情兮，訴五帝以置詞。
北斗爲我折中兮，太一爲余聽之。
云服陰陽之正道兮，御后土之中和。
佩蒼龍之蚴虯兮，帶隱虹之逶虵。
曳彗星之皓旰兮，撫朱爵與鵔鸃。
游清靈之颯戾兮，服雲衣之披披。
杖玉華與朱旗兮，垂明月之玄珠。
舉霓旌之墆翳兮，建黃纁之總旄。
躬純粹而罔愆兮，承皇考之妙儀。
惜往事之不合兮，橫汨羅而下濿。
乘隆波而南渡兮，逐江湘之順流。
赴陽侯之潢洋兮，下石瀨而登洲。
陵魁堆以蔽視兮，雲冥冥而暗前。

山峻高以無垠兮，遂曾閎而迫身。
雪雰雰而薄木兮，雲霏霏而隕集。
阜隘狹而幽險兮，石嵾嵯以翳日。
悲故鄉而發忿兮，去余邦之彌久。
背龍門而入河兮，登大墳而望夏首。
橫舟航而濟湘兮，耳聊啾而戃慌。
波淫淫而周流兮，鴻溶溢而滔蕩。
路曼曼其無端兮，周容容而無識。
引日月以指極兮，少須臾而釋思。
水波遠以冥冥兮，眇不睹其東西。
順風波以南北兮，霧宵晦以紛紛。
日杳杳以西頹兮，路長遠而窘迫。
欲酌醴以娛憂兮，蹇騷騷而不釋。
嘆曰：

言己舒展中情序志意冀得脫免患禍然身頹流日遠不得還也一云頹流下逆身日以遠兮一云頹流下隕身逝遠兮

飄風蓬龍，埃坲坲兮。

屮木搖落，時槁悴兮。

遭傾遇禍，不可救兮。

長吟永欷，涕究究兮。

舒情陳詩，冀以自免兮。

頹流下隕，身日遠兮。

譯文 我的心中滿懷憂愁難以舒暢啊，獨自哀傷且冤氣鬱結。我心亂如麻愁腸百轉啊，眼泪一直流個不停。我感慨嘆息長久遐想啊，想要向上皇申訴評判是非。聚合五嶽八方之神啊，詢問九星六宗之靈。向二十八星宿表明心跡啊，向五帝傾訴申辯。北斗星爲我調節啊，太一星聽我訟辯。群神勸我要實行正義之道啊，施行像大地一般的中和眞諦。行爲要像蒼龍一樣能屈能伸啊，意志要像長虹一樣連綿雲際。牽引着天上明亮的星光啊，撫摸着天上的神鳥。在高遠清涼的天際遨游啊，身穿長長的五彩雲衣。我手拿玉鞭和紅色戰旗啊，佩戴着光彩熠熠的夜明珠。舉起遮天蔽日的雲霓旗幟啊，豎起赤黃色的大旗。我的行爲端正沒有過失啊，繼承了先祖的美好容止。

我痛惜以前與君王政見不合啊，現在衹能橫渡汨羅隨江水漂流。隨着滔滔江水向南航行啊，追逐着湘水漂流徜徉。奔向深遠廣闊的波濤之鄉啊，穿過急流登上島嶼。群山高峻遮擋了視綫啊，烏雲層層天也變得昏暗。山勢高大連綿不斷啊，崢嶸巍峨地壓迫着我。大雪紛紛揚揚地飄落在樹上啊，雲霧濃厚會聚着下落。山中懸崖狹窄險峻啊，山石參差遮住了陽光。我思念故國心中充滿憂怨啊，離開故鄉的日子太長了。我走出郢都大門進入大河啊，登上高地眺望夏水的源頭。調轉船頭橫渡湘水啊，耳邊轟鳴心中悵然若失。波浪滾滾回旋奔騰啊，水勢洶湧浩浩蕩蕩。道路遙遠漫長而沒有盡頭啊，四周紛亂動蕩而難以辨識。根據日月星辰的指引找到了北方啊，暫時放下了心中的憂思。流水深廣沒有邊際啊，浩淼遼闊得無法辨別方向。我乘風破浪走南闖北啊，大霧彌漫天色也昏暗了。太陽已經漸漸向西墜落啊，道路漫長而處境艱苦。我想要自斟自飲借酒消愁啊，但是心中的憂愁還是無法紓解。

多麼可嘆啊：大風呼嘯在空中盤旋，帶起漫天飛揚的塵土啊。草木枝葉隨風飄落，這時都已經枯萎了啊。我遭受危險禍患，已經無法挽救了啊。我悲嘆唏噓，眼泪流個不停啊。舒展心中的感情寫作詩歌，希望可以免除禍患啊。我隨流水而下遭到放逐，離故國越來越遠了啊。

惜賢

覽屈氏之《離騷》兮，心哀哀而怫鬱。
聲嗷嗷以寂寥兮，顧僕夫之憔悴。
撥諂諛而匡邪兮，切溲涊之流俗。
蕩渨涹之奸咎兮，夷蠢蠢之溷濁。
懷芬香而挾蕙兮，佩江蘺之婓婓。
握申椒與杜若兮，冠浮雲之峨峨。

圃野樹也詩云東有圃草蠡蠡猶歷歷行列貌也言己登高大之陵周而四望觀香芷之圃歷歷而有行列傷人不採而佩帶也言己亦修德行義動有節度而不見進用也

登長陵而四望兮，覽芷圃之蠡蠡。
游蘭皋與蕙林兮，睨玉石之嵾嵯。
揚精華以眩燿兮，芳郁渥而純美。
結桂樹之旖旎兮，紉荃蕙與辛夷。
芳若茲而不御兮，捐林薄而菀死。
驅子僑之犇走兮，申徒狄之赴淵。
若由夷之純美兮，介子推之隱山。
晉申生之離殃兮，荆和氏之泣血。
吳申胥之抉眼兮，王子比干之横廢。
欲卑身而下體兮，心隱惻而不置。
方圜殊而不合兮，鉤繩用而異態。
欲俟時於須臾兮，日陰曀其將暮。
時遲遲其日進兮，年忽忽而日度。
妄周容而入世兮，內距閉而不開。

展轉不寐貌詩云展轉反側言己放棄不得竭其忠誠心中愁悶展轉怫鬱不能寐也一曰愁鬱鬱兮

俟時風之清激兮，愈氛霧其如塺。
進雄鳩之耿耿兮，讒介介而蔽之。
默順風以偃仰兮，尚由由而進之。
心懭悢以冤結兮，情舛錯以曼憂。
搴薜荔於山野兮，採撚支於中洲。
望高丘而嘆涕兮，悲吸吸而長懷。
孰契契而委棟兮，日晻晻而下頹。

嘆曰：

江湘油油，長流汩兮。
挑揄揚汰，蕩迅疾兮。
憂心展轉，愁怫鬱兮。
冤結未舒，長隱忿兮。
丁時逢殃，可柰何兮。
勞心悁悁，涕滂沲兮。

譯文

讀完屈原的《離騷》啊，我滿腔憂憤無限悲傷。我對着空曠的原野大聲呼叫啊，看見僕人和我一樣憔悴。我要整治讒人糾正邪惡啊，要消滅這世上污濁的流俗。要掃除卑劣的奸佞之徒啊，要消滅擾動不安的混亂行爲。我懷抱的蕙草芳香馥郁啊，佩戴的江離香氣濃厚。我手握申椒和杜若啊，頭戴浮雲高冠。我登上高山向四面眺望啊，看見排列成行的花圃。我游覽蘭岸蕙草芳林啊，回頭看到香草形態各異。枝枝精粹如玉光彩奪目啊，芳香濃郁純潔美好。我將柔嫩的桂樹枝條繫結起來啊，將荃蕙、辛夷連綴在一起。如此芳香的花環卻沒人使用啊，被拋棄在叢林裏堆積腐爛。

我想跟隨王子僑遠游啊，又仰慕申徒狄避世投江。要像許由伯夷那樣純潔高尚啊，又效仿介子推隱居深山。可憐晉國申生遭受的災難啊，痛惜楚國卞和眼睛哭出了血。伍子胥被挖去了雙眼啊，比干被紂王剖心。想卑躬屈節同流合污啊，但心中痛苦不願這樣做。方和圓本來就是不同的形狀啊，鉤和繩的用途也不一樣。想暫時等待美好的時光啊，但是天色昏暗黃昏快到了。時間慢慢地一天一天過去了啊，歲月消逝得非常迅速。想逢迎阿諛討好世人啊，內心卻拒絕接受這樣做。等待世風變得清廉激發人心啊，霧氣卻像塵土越來越濃。想要像雄鳩獻上誠信啊，卻被讒人離間排擠。想保持沈默隨世俗沈浮啊，卻遲疑着不肯去做。心裏失意悵惘鬱結苦悶啊，思緒錯亂憂愁更加深長。在荒山野嶺採摘薜荔啊，在水中的小舟上採摘撚支。遙望着楚國嘆息流泪啊，我長久思念悲泣不止。誰能憂國憂民奉獻自己啊，日光漸暗太陽慢慢西墜。

多麼可嘆啊：長江湘水滾滾而來，不停地向東流啊。水流激蕩水花四濺，快速向前奔流而去啊。憂心如焚輾轉反側，心中苦悶悲痛啊。怨情鬱結無法紓解，心中常懷憤恨啊。生不逢時遭遇禍患，也是無可奈何的啊。勞心憂悶，眼泪一直流出來啊。

愍命

昔皇考之嘉志兮，喜登能而亮賢。

情純潔而罔薉兮，姿盛質而無愆。

放佞人與諂諛兮，斥讒夫與便嬖。

親忠正之悃誠兮，招貞良與明智。

心溶溶其不可量兮，情澹澹其若淵。

回邪辟而不能入兮，誠願藏而不可遷。

逐下袟於後堂兮，迎宓妃於伊雒。

刜讒賊於中廇兮，選呂管於榛薄。

叢林之下無怨士兮，江河之畔無隱夫。

三苗之徒以放逐兮，伊皋之倫以充廬。

三苗堯之佞臣也尚書曰竄三苗於三危

今反表以爲裏兮，顛裳以爲衣。

戚宋萬於兩楹兮，廢周邵於遐夷。

卻騏驥以轉運兮，騰驢騾以馳逐。

蔡女黜而出帷兮，戎婦入而綵繡服。

慶忌囚於阱室兮，陳不占戰而赴圍。

破伯牙之號鍾兮，挾人箏而彈緯。

藏瑉石於金匱兮，捐赤瑾於中庭。
韓信蒙於介胄兮，行夫將而攻城。
莞芎棄於澤洲兮，瓟蠡蠹於筐簏。
麒麟奔於九皋兮，熊羆群而逸囿。
折芳枝與瓊華兮，樹枳棘與薪柴。
掘荃蕙與射干兮，耘藜藿與蘘荷。
惜今世其何殊兮，遠近思而不同。
或沈淪其無所達兮，或清激其無所通。
哀余生之不當兮，獨蒙毒而逢尤。
雖謇謇以申志兮，君乖差而屏之。
誠惜芳之菲菲兮，反以茲爲腐也。
懷椒聊之蔎蔎兮，乃逢紛以罹詬也。

嘆曰：

嘉皇旣殁，終不返兮。

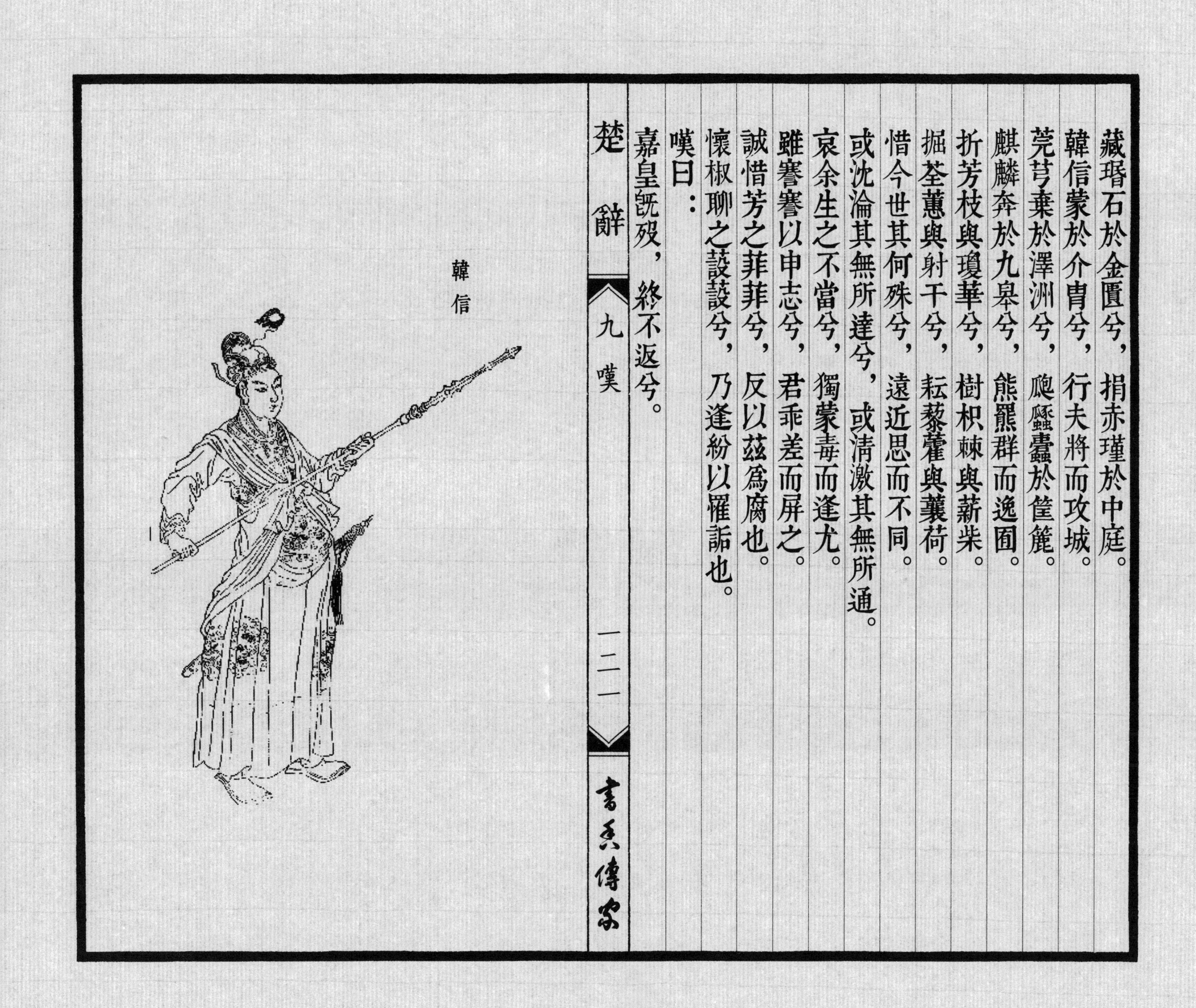

山中幽險，郢路遠兮。
讒人諓諓，孰可愬兮。
征夫罔極，誰可語兮。
行吟累欷，聲喟喟兮。
懷憂含戚，何侘傺兮。

譯文 從前我的先祖志向美好啊，喜歡選賢任能。他的性情純潔沒有污穢啊，天生才能出衆沒有過失。放逐奸佞和逢迎的小人啊，斥責讒人和邀寵的近臣。親近擁有誠懇之心的賢士啊，招納洞察事理的忠良之臣。心胸寬廣不可度量啊，性情恬淡超逸猶如深淵。不正之風難以侵蝕他啊，永遠保持着貞心不改變。將亂政的妃嬪趕回後堂啊，從洛水迎來了宓妃。把奸讒小人趕出朝廷啊，從民間起用呂尚、管仲這樣的賢臣。山野間沒有懷怨的高士啊，江河邊沒有隱居的賢人。奸佞的小人被放逐了啊，伊尹皋陶這樣的賢臣治理國家。

當今之世把外表看作內心啊，把下裳當作上衣。逆臣南宮萬受到尊

崇啊，周公、召公卻被放逐到邊遠之地。讓千里馬去運送東西啊，卻想讓笨劣的驢和騾快速奔跑。蔡國的賢女被趕出帷帳啊，反而讓戎族的婦女身穿繡服。勇士慶忌被關押在地牢裏啊，懦夫陳不占顫抖着去解圍。打破伯牙珍貴的號鐘琴啊，卻彈奏小箏。把劣質的玉石藏在金櫃之中啊，把上等的美玉扔棄在庭院中。韓信身穿甲胄被當作小卒啊，行伍懦夫卻率兵攻城。香草莞芎被丟棄在水澤之中啊，葫蘆瓜瓢卻被收藏在筐簍裏。麒麟在曲折的水澤淤地奔竄啊，成群的熊羆住在君王的苑囿裏。折下芳枝和瓊花啊，栽種惡木和柴火。挖掉荃蕙、射干這樣的香草啊，種植藜藿和蘘荷。痛惜今世與往昔不同啊，想到古今的人如此迥異。有的人沈淪世俗無法顯達啊，有的人清廉自勵不能亨通。可憐我生不逢時啊，獨自蒙受苦難遭受禍患。雖然竭盡忠貞表達心志啊，卻與君王心意相違遭到摒棄。本應珍惜這四溢的芳香啊，君王卻認爲這是惡臭腐敗的東西。懷中揣着椒木香氣彌散啊，卻因生逢亂世而遭人妒忌。

多麼可嘆啊：明君已經逝去，再也不會回來啊。深山之中幽暗危險，返回郢都的道路非常遙遠啊。讒人巧言善辯，我能對誰訴說啊。放逐遠行沒有盡頭，我又能向誰傾訴啊。我邊走邊吟慨嘆不已，發出一聲聲的嘆息啊。我滿懷憂愁悲傷，多麼失意啊。

思古

冥冥深林兮，樹木鬱鬱。
山參差以嶄巖兮，阜杳杳以蔽日。
悲余心之悁悁兮，目眇眇而遺泣。
風騷屑以搖木兮，雲吸吸以湫戾。
悲余生之無歡兮，愁倥傯於山陸。
旦徘徊於長阪兮，夕仿偟而獨宿。
髮披披以鬤鬤兮，躬劬勞而瘏悴。
魂俇俇而南行兮，泣沾襟而濡袂。
心嬋媛而無告兮，口噤閉而不言。
違郢都之舊閭兮，回湘沅而遠遷。
念余邦之橫陷兮，宗鬼神之無次。
閔先嗣之中絕兮，心惶惑而自悲。
聊浮游於山陿兮，步周流於江畔。
臨深水而長嘯兮，且倘佯而氾觀。
興《離騷》之微文兮，冀靈脩之壹悟。
還余車於南郢兮，復往軌於初古。
道脩遠其難遷兮，傷余心之不能已。
背三五之典刑兮，絕《洪範》之辟紀。
播規矩以背度兮，錯權衡而任意。
操繩墨而放棄兮，傾容幸而侍側。
甘棠枯於豐草兮，藜棘樹於中庭。
西施斥於北宮兮，仳倠倚於彌楹。
烏獲戚而驂乘兮，燕公操於馬圉。

劬亦勞也詩云劬勞於野病也詩云我馬瘏矣言己履涉風露頭髮解亂而身罷病也

倘佯山名也

蒯聵登於淸府兮，咎繇棄而在壄。
蓋見茲以永嘆兮，欲登階而狐疑。
棄白水而高騖兮，因徙弛而長詞。

嘆曰：

倘佯壚阪，沼水深兮。
容與漢渚，涕淫淫兮。
鍾牙已死，誰爲聲兮？
纖阿不御，焉舒情兮？
曾哀淒欷，心離離兮。
還顧高丘，泣如灑兮。

壚，黃黑色土也。沼，池也。《詩》云：王在靈沼。言倘佯之山，其阪土玄黃，其下有池水，深而且清，宜以避世而長隱身也。

譯文

陰暗幽深的山林裏啊，樹木生長得鬱鬱葱葱。峰巒起伏山勢險峻啊，山嶺遮蔽了太陽天色昏暗。可憐我的心裏愁苦憂悶啊，縱目向遠處望去泪流不止。秋風蕭蕭搖動着樹木啊，濃雲在天上浮動。可憐我的一生沒有歡樂啊，愁苦窘迫久居在山中。白天時在高坡上徘徊

啊，夜晚裏走來走去無法入睡。頭髮披散凌亂啊，身體勞累疲憊憔悴。神魂不定匆匆向南行進啊，泪如雨下沾濕了衣襟和衣袖。心中牽掛故鄉卻無處訴說啊，衹能閉着嘴不說話。我離開故鄉郢都啊，經過湘江沅水繼續遠行。想到我的祖國橫遭災難啊，宗族祖先的鬼神無人祭祀。可惜先人的事業就此中斷啊，心中惶恐不安暗自悲傷。衹能在峽谷裏漫步閑逛啊，再來到江邊上四處游蕩。面對萬丈深淵長聲呼嘯啊，姑且走到溪畔到處覽望。

創作《離騷》這樣隱寓諷喻的文辭啊，是希望能夠讓君王一朝覺醒。能讓我的馬車返回郢都啊，遵循前代君王的主張。距離郢都道路遙遠回不去啊，我非常傷心難以停止。違反三皇五帝的舊法啊，背棄《洪範》中的法紀。捨棄圓規直尺違背法度啊，丟掉秤錘和秤杆隨意估量。執行法紀的人被放逐啊，卑身逢迎討好的人卻可以親近君王。棠梨枯死而野草茂盛啊，庭院中種滿了蒺藜荆棘。西施被趕回了後宮啊，醜女仳倠卻可以在君王身邊服侍。力士烏獲與親王親近成爲了參乘啊，

覺較也詩云有覺德行猶明也一作浩一作酷注並同

賢臣召公被派去養馬。蒯聵能夠進入宗廟啊，皋陶卻被放逐山野。見到這種情况我衹能嘆息啊，想要進宫勸諫又遲疑猶豫。還是順着白水遠走高飛啊，趁機離開與濁世永别了。

多麼可嘆啊：在黑土坡上徜徉，看到池水非常幽深啊。在漢水之濱游蕩，眼泪流個不停啊。鍾子期和俞伯牙都死去了，誰來彈奏樂曲啊。織阿女神不駕馬車，駿馬怎麽會發揮力量啊。我無限哀傷感覺淒慘，心情非常苦悶啊。回頭遠望楚國的高山，泪如雨下啊。

遠游

悲余性之不可改兮，屢懲艾而不迻。
服覺晧以殊俗兮，貌揭揭以巍巍。
譬若王僑之乘雲兮，載赤霄而凌太清。
欲與天地參壽兮，與日月而比榮。
登崑崙而北首兮，悉靈圉而來謁。
選鬼神於太陰兮，登閶闔於玄闕。
回朕車俾西引兮，褰虹旗於玉門。
馳六龍於三危兮，朝西靈於九濱。
結余軫於西山兮，橫飛谷以南征。
絕都廣以直指兮，歷祝融於朱冥。
枉玉衡於炎火兮，委兩館於咸唐。
貫澒濛以東朅兮，維六龍於扶桑。
周流覽於四海兮，志昇降以高馳。
徵九神於回極兮，建虹采以招指。
駕鸞鳳以上游兮，從玄鶴與鷦明。
孔鳥飛而送迎兮，騰群鶴於瑤光。
排帝宫與羅囿兮，昇縣圃以眩滅。
結瓊枝以雜佩兮，立長庚以繼日。
凌驚雷以軼駭電兮，綴鬼谷於北辰。
鞭風伯使先驅兮，囚靈玄於虞淵。

言龍昇天奮搖翅羽馳使風雨言己亦願奮竭智謀以輔事賢君流恩百姓長無窮極也

溯高風以低佪兮，覽周流於朔方。
就顓頊而敶詞兮，考玄冥於空桑。
旋車逝於崇山兮，奏虞舜於蒼梧。
淦楊舟於會稽兮，就申胥於五湖。
見南郢之流風兮，殞余躬於沅湘。
望舊邦之黯黮兮，時溷濁其猶未央。
懷蘭茝之芬芳兮，妒被離而折之。
張絳帷以襜襜兮，風邑邑而蔽之。
日暾暾其西舍兮，陽焱焱而復顧。
聊假日以須臾兮，何騷騷而自故？

嘆曰：

譬彼蛟龍，乘雲浮兮。
汎淫澒溶，紛若霧兮。
潺湲轇轕，雷動電發，馺高舉兮。
昇虛凌冥，沛濁浮清，入帝宮兮。
搖翹奮羽，馳風騁雨，游無窮兮。

譯文

悲嘆我的本性是無法改變的啊，就算受到很多次懲罰也不會改變。服飾顯眼與世不同啊，形象高大頂天立地。像僊人王僑那樣騰雲駕霧啊，乘着紅雲飛上天際。想要與天地同壽啊，與日月同輝。登上崑崙山面朝北方啊，所有的神僊都來朝見。從極盛的陰氣中挑選鬼神啊，和我一起從天門進入天宮。掉轉我的馬車向西方奔去啊，舉起虹旗直奔玉門山。駕着六龍在三危山頂奔馳啊，將西方的神靈召集到彎曲的涯岸。旋轉我的車子向着西山啊，橫渡飛泉谷又向南行。穿越都廣一直前行啊，來到南方之神祝融的領地。回轉馬車穿過火焰山啊，兩次經過咸池都沒有留宿。穿過混沌之氣離開東方啊，將六條飛龍拴在扶桑樹邊。

我要周游天下觀察四海啊，想上上下下奔馳翱翔。召集九天的神明在天中聚集啊，豎起彩旗來指揮。乘駕鸞鳥鳳凰向上飛翔啊，玄鶴、鷦明等神鳥緊隨其後。孔雀在空中飛舞迎來送往啊，成群的僊鶴飛越過北極星。推開天宮進入天苑啊，登上懸圃卻眼睛昏花看不清楚。繫結美玉枝條配上連綴的佩玉啊，長庚星昇起接替太陽。乘滾滾驚雷追逐閃電啊，把衆鬼捆綁在北極星上。我又鞭打風伯讓他在前面開路啊，將北方之神玄帝囚禁在虞淵。迎着高天大風徘徊游蕩啊，觀察各地游遍北方。向顓頊帝傾訴苦悶啊，在空桑山詢問玄冥之神。掉轉車頭前往崇山啊，到九疑山向虞舜進言。乘坐楊木舟行駛到會稽啊，到太湖去請教伍子胥。看見郢都流行的風俗啊，衹能投身沅水湘江自沈。遙望故國家鄉昏暗不明啊，世風混亂污濁沒有盡頭。懷抱芳香的蘭花茝草啊，小人心生嫉妒紛紛來折斷。張開紅色的帷帳鮮艷明亮啊，微風輕輕將它遮擋。太陽明亮炎熱將要落下西方啊，但是餘光炙熱反射到天上。暫且趁這時休閑片刻吧，爲什麼心中還是憂愁苦悶呢？

多麼可嘆啊：我就像蛟龍一樣，乘雲在空中飄游啊。我隨着廣闊深厚的雲層漂浮不定，變化紛紛就像大霧啊。像水一樣流動匯集在一起，像驚雷震動閃電破空，迅速地昇到空中。登上高遠的天際，吐出濁氣浮游在清氣中，進入了天帝的宮殿啊。蛟龍搖動龍尾振動羽翼，駕馭狂風馳騁暴雨，在無盡的太空中盡情遨游。

九思

逢尤

悲兮愁，哀兮憂。
天生我兮當暗時，被諑譖兮虛獲尤。
心煩憒兮意無聊，嚴載駕兮出戲游。
周八極兮歷九州，求軒轅兮索重華。
世既卓兮遠眇眇，握佩玖兮中路躇。
羨咎繇兮建典謨，懿風后兮受瑞圖。
愍余命兮遭六極，委玉質兮於泥塗。

覩遇如黃帝堯舜之聖明也

遽傽遑兮驅林澤，步屏營兮行丘阿。
車軏折兮馬虺頽，惷悵立兮涕滂沲。
思丁文兮聖明哲，哀平差兮迷謬愚。
呂傅舉兮殷周興，忌嚭專兮郢吳虛。
仰長嘆兮氣餢結，悒殟絕兮咶復甦。
虎兕爭兮於廷中，豺狼鬥兮我之隅。
雲霧會兮日冥晦，飄風起兮揚塵埃。
走䍐罔兮乍東西，欲竄伏兮其焉如。
念靈閨兮隩重深，願竭節兮隔無由。
望舊邦兮路逶隨，憂心悄兮志勤劬。
魂煢煢兮不遑寐，目脈脈兮寤終朝。

譯文 可悲啊可愁，哀傷啊憂悶。我出生啊在這個昏暗的世道，被壞人誣陷啊遭受罪過。我心煩意亂啊內心不快樂，整裝駕車啊出去游玩。

周游八方之地啊游歷天下，尋找黃帝啊尋找虞舜。盛世已經遠逝啊路途非常遙遠，手握玉佩啊在半路徘徊。羨慕臯陶啊建立制度，贊美風后啊得到瑞圖。可憐我命不好啊遭受種種苦難，就像把美玉扔在了污泥裏。我驚慌失措啊進入林中沼澤，步履彷徨啊在僻靜的山中行走。車轅斷折啊馬兒疲病，我惆悵失意啊淚如雨下。

思慕武丁和文王啊這樣聖明的君王，可憐楚平王夫差啊這樣糊塗荒謬的君王。呂尚、傅說受到重用啊殷周得以興盛起來，費無忌、太宰嚭得寵啊國家會被滅亡。仰天長嘆啊憂憤之氣在胸中鬱結，以致昏厥過去啊很久纔甦醒過來。猛虎犀牛爭權啊在朝廷上，豺狼爭鬥啊就在我的身邊。烏雲聚集啊太陽昏暗不明，大風猛烈地刮起啊塵土漫天飛揚。我悵惘失意啊忽東忽西到處奔走，想要躲藏起來啊又能到哪裏去呢。想念君王啊但是宮殿深遠難入，願意竭盡心力啊卻被阻隔在外。回望故國啊路途遙遠曲折，心中憂愁啊心志依然勤勉。靈魂孤孤單單啊睡不着覺，衹能睜着眼睛啊一直到天亮。

令尹楚官掌政者也不聽話言而妄語也

怨上

令尹兮謷謷，群司兮譨譨。

哀哉兮淈淈，上下兮同流。

菽藟兮蔓衍，芳虈兮挫枯。

朱紫兮雜亂，曾莫兮別諸。

倚此兮巖穴，永思兮窈悠。

嗟懷兮眩惑，用志兮不昭。

將喪兮玉斗，遺失兮鈕樞。

我心兮煎熬，惟是兮用憂。

進惡兮九旬，復顧兮彭務。

擬斯兮二蹤，未知兮所投。

謠吟兮中壄，上察兮璇璣。

大火兮西睨，攝提兮運低。

雷霆兮硠磕，雹霰兮霏霏。

奔電兮光晃，涼風兮愴悽。

鳥獸兮驚駭，相從兮宿棲。

鴛鴦兮噰噰，狐狸兮徾徾。

哀吾兮介特，獨處兮罔依。

螻蛄兮鳴東，蟊蠽兮號西。

蛓緣兮我裳，蠋入兮我懷。

蟲豸兮夾余，惆悵兮自悲。

佇立兮忉怛，心結縎兮折摧。

譯文 令尹啊傲慢妄言，百官啊多嘴多舌。可悲啊朝廷混亂，從上而下啊同流合污。雜草啊遍地生長，香草啊枯萎腐爛。朱色和紫色啊混雜在一起，竟然沒有人啊可以區別。身體倚靠着啊巖石洞穴，思緒悠長啊綿綿不斷。可嘆懷王啊迷惑不明，想要盡忠啊卻沒有辦法。眼看國家啊將要不保，政權將要失去啊能與賢。我的心啊忍受着煎熬，祇有這件事啊會讓我憂愁不已。

想起啊爲主而死的仇牧荀息，又想起啊投水捨生的彭咸務光。我想要追隨啊賢人的腳步，卻不知道啊該去哪裏。我大聲地歌詠啊在荒野之中，仰天察看啊天上的北斗星。我看到熒惑星啊向西斜，攝提星啊向下運行。驚雷啊隆隆作響，冰雹雪花啊紛紛落下。閃電呼嘯啊光芒耀眼，冷風刺骨啊讓人悲傷。飛禽走獸啊恐慌驚懼，相互依偎着啊棲息在一起。鴛鴦啊相互雙雙和鳴，狐狸啊相互依隨。可憐我啊孤孤單單，一個人啊沒有依靠。螻蛄啊在東邊鳴叫，蝨蠹啊在西邊號叫。毛蟲沿着啊我的衣裳蠕動，無數的幼蟲啊鑽入我的懷中。各種昆蟲啊夾攻我，令我惆悵啊自哀自憐。我長時間地站立啊心中悲痛，思緒混亂啊沮喪不已。

疾世

周徘徊兮漢渚，求水神兮靈女。

言居山中愁憤復之漢水之涯庶欲以釋思念也渚一作濆

嗟此國兮無良，媒女詘兮謰謱。

鴳雀列兮譁讙，鴝鵒鳴兮聒余。

抱昭華兮寶璋，欲衒鬻兮莫取。

言旋邁兮北徂，叫我友兮配耦。

日陰曀兮未光，闃睄窕兮靡睹。

紛載驅兮高馳，將諮詢兮皇羲。

遵河皋兮周流，路變易兮時乖。

濿滄海兮東游，沐盥浴兮天池。

訪太昊兮道要，云靡貴兮仁義。

志欣樂兮反征，就周文兮邠岐。

秉玉英兮結誓，日欲暮兮心悲。

惟天祿兮不再，背我信兮自違。

窬隴堆兮渡漠，過桂車兮合黎。

赴崑山兮馽騄，從卭遨兮棲遲。

吮玉液兮止渴，嚙芝華兮療飢。

居嵺廓兮尠疇，遠梁昌兮幾迷。

詩云獨行煢
煢煢一作

望江漢兮濩渃，心緊絭兮傷懷。
時晻晻兮且旦，塵莫莫兮未晞。
憂不暇兮寢食，吒增嘆兮如雷。

譯文 我徘徊游蕩啊在漢水之濱，尋找啊那漢水女神。可嘆這個國家啊沒有賢人，媒人嘴笨啊說得不明白。鶡雀群聚啊叫個不停，八哥齊鳴啊讓人心煩。我的懷中啊抱着寶玉，想要售賣啊卻無人問津。轉身離開啊向北走去，一邊呼喚啊我的朋友知己。太陽被遮住啊見不到光亮，寂靜幽暗啊讓人無法看清。

駕駛繽紛美盛的馬車啊縱馬飛馳，去拜訪啊上皇伏羲。沿着黃河邊啊周行游蕩，道路曲折啊時世不順。渡過滄海啊向東游行，沐浴盥洗啊在天池之中。向伏羲請教啊治國的要務，沒有什麼東西的珍貴性啊要超過仁義之行。我滿懷欣喜啊踏上歸途，投奔周文王啊到達了邠岐。手拿美麗的花啊與文王立誓，天色將暗啊心愈加悲傷。想到天賜的福祿啊不再有了，背棄忠誠啊就是違背自己。我越過隴堆山啊穿過大漠，經過桂車山啊還有合黎山。奔赴崑崙山啊拴好駿馬，跟從着邛獸遨游啊停留歇息。喝美酒啊止渴，吃靈芝啊充飢。身處空曠的地方啊形單影隻，處境狼狽啊目眩神迷。眺望長江漢水啊浩大廣闊，心緒糾結啊悲傷滿懷。太陽初昇啊天色尚暗，塵土飛揚啊還沒有消散。憂愁讓我沒有心思啊吃飯睡覺，我大聲怒吼啊聲震如雷。

憫上

哀世兮睩睩，諓諓兮嗌喔。
衆多兮阿媚，骫靡兮成俗。
貪枉兮黨比，貞良兮煢獨。
鵠竄兮枳棘，鵜集兮帷幄。
蘮蕠兮青蔥，槁本兮萎落。
睹斯兮僞惑，心爲兮隔錯。
逡巡兮圃藪，率彼兮畛陌。
川谷兮淵淵，山峊兮峉峉。

叢林兮崟崟，株榛兮岳岳。
霜雪兮漼溰，冰凍兮洛澤。
東西兮南北，罔所兮歸薄。
庇蔭兮枯樹，匍匐兮巖石。
踡跼兮寒局數，獨處兮志不申，年齒盡兮命迫促。
魁壘擠摧兮常困辱，含憂強老兮愁不樂。
鬚髮苧顇兮顠鬢白，思靈澤兮一膏沐。
懷蘭英兮把瓊若，待天明兮立躑躅。
雲蒙蒙兮電倏爍，孤雌驚兮鳴呴呴。
思怫鬱兮肝切剝，忿悁悒兮孰訴告？

譯文 可悲世人啊小心謹慎，巧言善辯啊奉承權貴。衆人大多啊阿諛逢迎，委曲取容啊蔚然成風。貪婪邪惡的人啊結黨營私，忠貞賢良的人啊總是形單影隻。天鵝竄伏啊被困在荆棘中，水鳥聚集啊卻在帷帳之中。雜草啊生長得鬱鬱葱葱，香草啊卻枯萎凋落。看到這些啊詐僞蠱惑的現象，心中啊變得糊塗。

我徘徊不前啊在園圃湖澤，沿着它們啊走過田間的道路。河流山谷啊深廣幽邃，山嶺峰巒啊高大巍峨。叢林啊非常茂盛，榛叢啊密佈四周。霜雪啊積聚，水流啊冰凍。東西啊南北，沒有地方啊去歸附。尋求庇護啊在枯樹下，隱藏啊在巖洞中。蜷縮啊寒風讓人局促，獨自居住啊壯志難伸，年齡漸大啊生命將盡。心情鬱悶命運坎坷啊常常遭受困苦屈辱，心懷憂苦過早衰老啊愁悶不快樂。頭髮散亂啊雙鬢斑白，希望天降甘露啊讓我沐浴。懷抱蘭花啊手拿如玉杜若，等待天亮啊在這裏徘徊。烏雲密佈啊閃電划過天空，孤單的雌鳥受到驚嚇啊不停地鳴叫。思緒不平啊心情痛苦，內心的憤懣啊向誰傾訴？

遭厄

悼屈子兮遭厄，沈玉躬兮湘汨。
何楚國兮難化，迄於今兮不易。
士莫志兮羔裘，競佞諛兮讒閲。

賢者質美故以比玉湘汨皆水名

指正義兮爲曲，訿玉璧兮爲石。
殦鵰游兮華屋，鵕鸃棲兮柴蔟。
起奮迅兮奔走，違群小兮諠詾。
載青雲兮上昇，適昭明兮所處。
躡天衢兮長驅，踵九陽兮戲蕩。
越雲漢兮南濟，秣余馬兮河鼓。
雲霓紛兮晻翳，參辰回兮顛倒。
逢流星兮問路，顧我指兮從左。
俓娵觜兮直馳，御者迷兮失軌。
遂踢達兮邪造，與日月兮殊道。
志闕絕兮安如，哀所求兮不耦。
攀天階兮下視，見鄢郢兮舊宇。
意逍遙兮欲歸，眾穢盛兮杳杳。
思哽饐兮詰詘，涕流瀾兮如雨。

譯文

哀悼屈原啊遭逢了厄運，自投高潔之軀啊沈入湘江汨羅。楚國爲什麼啊那麼難以教化，到現在啊依然沒什麼變化。大臣們沒有遠志啊品行低俗，相互阿諛奉承啊陷害爭權。公理正義啊遭到扭曲，玉璧啊被詆毀爲石頭。惡鳥嬉鬧啊在華堂之上，神鳥棲息啊衹能在柴火上。想要快速飛起啊離開這裏，以此來躲避這群小人啊辱罵我。

乘着青雲啊向上飛昇，奔向太陽啊所在的地方。踏上大路啊長驅而入，來到了太陽的住所啊游玩。跨過銀河啊向南涉渡，喂馬吃草啊在河鼓星旁。雲團濃厚啊遮住了陽光，參辰二星回旋啊顛倒了位置。遇到了流星啊向它問路，回頭爲我指路啊向左前進。越過娵觜星啊直接向前奔馳，侍從迷失了方向啊不知該往哪裏走。這纔知道自己一失足啊走上了歪路，與日月啊道路不同。志向被阻斷啊該何去何從，哀嘆所追求的理想啊得不到別人的認同。爬上天階啊向下看，望見了郢都啊我的故鄉。心意自由自在啊想要回去，奸臣賊子眾多啊世風惡濁。悲傷哽噎啊深感冤枉，涕泪橫流啊像下雨一樣。

管管仲百百里奚也管仲爲魯所囚齊桓釋而任之百里奚晉徒役秦繆以五之皮贖之爲相也

傷時

惟昊天兮昭靈，陽氣發兮清明。
風習習兮龢煖，百草萌兮華榮。
堇荼茂兮扶疏，蘅芷凋兮瑩嫇。
愍貞良兮遇害，將夭折兮碎糜。
時混混兮澆饡，哀當世兮莫知。
覽往昔兮俊彥，亦詘辱兮繫累。
管束縛兮桎梏，百貿易兮傳賣。
遭桓繆兮識舉，才德用兮列施。
且從容兮自慰，玩琴書兮游戲。
迫中國兮迮陿，吾欲之兮九夷。
超五嶺兮嵯峨，觀浮石兮崔嵬。
陟丹山兮炎野，屯余車兮黃支。
就祝融兮稽疑，嘉己行兮無爲。

乃回朅兮北逝，遇神孈兮宴娭。
欲靜居兮自娛，心愁感兮不能。
放余轡兮策駟，忽飆騰兮浮雲。
蹠飛杭兮越海，從安期兮蓬萊。
緣天梯兮北上，登太一兮玉臺。
使素女兮鼓簧，乘戈龢兮謳謠。
聲噭誂兮清和，音晏衍兮要婬。
咸欣欣兮酣樂，余眷眷兮獨悲。
顧章華兮太息，志戀戀兮依依。

譯文 春天啊光明神奇，天氣漸漸變暖啊空氣清澈明朗。微風習習啊溫暖舒適，百草發芽啊生機勃勃。堇菜苦菜啊枝葉繁茂，杜衡白芷啊卻凋落蕭瑟。可憐忠貞賢良的人啊遭受禍患，將要死去啊身體變得粉碎。時世混濁啊猶如用湯泡飯，可悲芸芸衆生啊沒有一個知己。回想歷史上啊那些才智出衆的人，也都遭受委屈和恥辱啊遭到囚禁。管仲被捆綁啊戴上手銬腳鐐，百里奚迫於無奈啊被轉賣。得到了齊桓公、秦穆公啊賞識，才智得到施展啊可以一展所長。

姑且安於現狀啊自我安慰，撫琴讀書啊到處嬉游。迫於國家內啊狹隘險惡，我想要奔向啊九夷之地。越過五嶺啊山勢高峻，看見浮石山啊高聳在海上。走過丹山啊來到了南方，聚集馬車啊在黄枝古國。向火神祝融啊詢問疑事，表揚自己的行爲啊順應自然。於是轉身離開啊向北而行，遇到了神嬿啊與他宴飲嬉戲。想要住在安靜的地方啊自娱自樂，心裏憂愁感傷啊無法做到。我丢開繮繩啊縱馬奔跑，忽然暴風飛騰啊將我吹上了雲霄。乘坐飛快的航船啊飛越大海，跟隨安期生啊到達了蓬萊。沿着天梯啊向北而上，登上了太一啊居住的地方。讓素女啊爲我吹奏笙竽，乘戈相和啊大聲歌唱。聲音清暢啊音調和諧，旋律奇特啊舞姿柔美。每個人都很高興啊沈湎於飲酒娱樂之中，衹有我眷戀着故國啊獨自悲傷。俯視章華臺啊禁不住嘆氣，心中不捨啊依戀祖國。

經

《詩經》

「關關雎鳩，在河之洲，窈窕淑女，君子好逑」描繪了人世間最真摯的愛情；「碩鼠碩鼠，無食我黍」表達了對不勞而獲的剝削者最深刻的厭惡；「知我者謂我心憂，不知我者謂我何求」抒發了對國家興亡最深切的憂慮。這些我們耳熟能詳的詩句，都出自《詩經》。《詩經》位居儒家「五經」之列，其文學價值是無需多言的。作爲中國史上第一部詩歌總集，它的内容極爲宏大豐富，刻畫了淳樸的風俗，讚揚了英勇的戰士，歌頌了神聖的祖先，記述了真實的歷史。這裏有懇切的批評，又有委婉的諷喻；有樸實的話語，又有華美的辭章；有直率的表達，又有微妙的思緒。孔子說：「不學《詩》，無以言」，這些璀璨的詩句依然是中國人今天抒發情感時無法超越的形式，它們朗朗上口、雋永豐沛。在幾千年後的今天，讓我們依舊能與華夏先民呼吸相聞，感受一種跨越千年的浪漫。「腹有《詩》《書》氣自華」，衹有讀了《詩經》，才知道什麼是文明而化。

《周易》

《周易》可以說是中國古老經典中的經典，它的作者據說是周文王姬昌，其在伏羲八卦基礎上推演而成，後來又經過孔子的修訂，直到現在，已有三千多年的歷史。很多人都認爲《周易》是一部用來占卜算命的書，這確實僅是它的功能之一，在生產力落後的前科學時代，它相當於一個簡單的搜索引擎，凡有疑難之事，都可以通過《周易》的指引，找到解決的辦法。但是，到了科學昌明的今天，《周易》的義理依然不朽，衹是其占卜算命功能已經大大地被弱化。它真正吸引人們的是它對歷史、民俗、文學、哲學、政治、中醫藥學等各個領域的兼容與覆蓋，可以說，《周易》通過陰陽、性象的變化來闡述生命的學問、宇宙的真理、智慧的源泉、社會的規律，用卦爻符號和爻辭，構成了一個神秘的文化殿堂，描述了中華古人對於宇宙奧秘和生命密碼的獨特認識，這也是我們今天讀《周易》的意義所在，它能夠讓我們透過紛繁複雜的表面，直接看透背後的本質。

《論語》

假設孔子讓班長子路建立一個班級群，把曾子、顏淵、子夏、子貢等人都拉進去，大家不但可以在群裏直接討論問題，還可以在彼此的朋友圈互相評論。於是有人選取了聽課中最有用、有趣、有意義的內容，整理成一本書，就叫《論語》。孔子感嘆「没人瞭解我」，卻告訴學生「别怕没人瞭解你，只怕自己没本事」。他的一生是充滿失意和詩意的，他的思想主張不被當世爲政者所接受，但他「一以貫之」「不怨天，不尤人」「下學而上達」，以文化傳承爲使命，開私學之先河，創立了儒家學派。孔子自稱「述而不作」，只講課不創作，他編的六種教科書，主要材料也來自古代文獻，被稱爲「六經」。所以，記錄孔子言行的《論語》，反倒保存了原汁原味的孔子學説。《論語》中的孔子，不衹是莊嚴的至聖先師，更是一個有喜怒哀樂情感的教書先生。他會誇勤奮、聰明的學生，會駡懶惰、頑固的弟子，高興了會唱歌，傷心了會哭泣。閱讀《論語》，可以從中獲得思想的啟迪、人格的提升、情感的激勵，以及文學的享受，它是每一位中國人的必讀之書。

《孟子》

説起儒家思想，必定繞不開「孔孟之道」。這裏的「孟」，就是被尊爲「亞聖」的孟子。與一般「溫良恭儉讓」的儒生形象不同，孟子留給人們的印象更多是剛毅、自信和執著，這些特質在他和弟子所著的《孟子》中都得到了展現。《孟子》在南宋後被作爲「四書」之一。讀起來很好玩，因爲里面大部分都是小故事、小對話，而書中孟子的形象也非常鮮明、立體，就像是生活在我們身邊的一位倔強、驕傲而善辯的小老頭。很多時候，他會玩兒一些「套路」，讓談話對象掉入自己事先挖好的「坑」裏，最後逼得對方衹能「顧左右而言他」，他還會通過裝病來表達自己的不滿，就像個跟人賭氣的孩子一樣。當然，我們讀《孟子》的意義絶對不止於此，它之所以過了兩千多年仍被奉爲經典，是因爲孟子對「修身、齊家、治國、平天下」進行了透徹的闡述，讓我們在讀過之後能夠擁有强大的内心，能夠有所爲有所不爲，能夠有所捨有所得，這不僅對每個人的生活和工作有著重要的指導意義，對於我們弘揚優秀傳統文化、實現國家的文化自信也大有裨益。

《山海經》

有一種草可以治療抑鬱，有一種魚喫了就不再畏懼打雷，有一種樹見到就不會迷路，有一種獸甚至可以喫掉龍，它們都是什麼呢？這是一部記載了「五方之山」「八方之海」「珍寶奇物」的古代實用地理書。該書刻畫了「鯀禹治水」「女媧造人」「夸父逐日」的神話故事，也有對於顓頊和黃帝的很多記述，被稱爲「古之語怪之祖」。在魯迅筆下，這是阿長心心念念送他的禮物，其中包含上古時期的地理、歷史、神話、天文、動物、植物、醫學、宗教以及人類學、民族學、海洋學和科技史等知識。在紀曉嵐編纂的《四庫全書總目提要》中，它是地理書的首要，還被稱之爲最古的小說。它甚至是一些誌怪和盜墓小說中怪事、怪物的總來源、總發端，「紅毛犼」「錦鱗蚺」甚至「痋術」等，已經是年輕人熟悉的神獸。這就是《山海經》，一部誕生於遠古時期，極富想象力的驚世駭俗之作。它的奇詭玄妙，使今天的年輕人腦洞大開，啟發人們體悟天、地、人、神、獸、怪的無窮奧秘。讀《山海經》，去探尋遠古時期影響思想觀念的洪荒之力，去求索華夏五千年文明的初心與神秘。

《史記精華》

《留侯世家》記載，破落貴族張良偶遇圯橋老人，得到《太公兵法》，學成後輔佐劉邦，「爲王者師」。他與衆將談論《太公兵法》，沒人聽得懂；劉邦聽了，卻能善用其策。張良說：「大概沛公是上天授命之人啊！」《史記》既是史書，又是一部政論集。政論家寫文章大多引經據典，司馬遷著《史記》是用更完備的史料論證自己的觀點。所以說司馬遷的偉大，不衹是記載了黃帝至漢初的歷史，而是在於他「究天人之際，通古今之變，成一家之言」。這「一家之言」，說的就是他的人生觀、歷史觀、宇宙觀。他信命而不認命，自強不息，具有悲天憫人的情懷。所以他借「圯橋進履」的傳說，證明劉邦是真命天子，卻又敢於對劉邦等得天命者犯下的錯誤提出批評，對懷才不遇、蒙受冤屈的人則報以同情。《史記》全書一百三十篇，五十二萬餘字，《史記精華》從中擷萃名篇，既不辜負太史公的良苦用心，又能讓今人感受輕鬆愉悅的閱讀體驗，從歷史的興亡中體悟天道與人事，品味「無韻之離騷」。

《資治通鑒精華》

孟子說：「孔子成《春秋》而亂臣賊子懼。」《春秋》大義，被歷代史家奉爲法則。唐末五代，藩鎮割據，天下大亂，人心不安。在那個兵強馬壯者就能當皇帝的時代，誰會在乎倫理與秩序？整個社會都迷失了方向。北宋建立後，結束了國家分裂的局面，人心思定，所以史家想要借《春秋》大義重建社會價值體系。先有歐陽修的《新五代史》，後有司馬光的《資治通鑒》。一部《資治通鑒》，二百九十四卷，三百多萬字，以編年體的形式展現了戰國至五代時期一千三百餘年的歷史。若你無暇通讀全書，又想有所涉獵，卻無從下手，《資治通鑒精華》就是爲你指點迷津、得以一窺這部史學巨著之端倪的捷徑。因爲本書所選篇目緊扣原典的主旨，以治亂興衰爲借鑒，以大義名分爲原則，涵蓋了歷代的主要大事件。在這個日新月異、信息爆炸的變革時代，你有沒有迷失方向？不妨嘗試從歷史中探尋安身立命之道。閱讀本書，上可以參悟人生、明白得失，中可以洞悉人心、增長閱歷，下可以充實學識、增加談資。

子

《六韜·三略》

很多人一提起「兵法」，首先想到的往往是《孫子兵法》《三十六計》，卻不知道《六韜·三略》絲毫不遜於前兩者。嚴格說來，《六韜》《三略》是兩本書。《六韜》作者是被譽爲「兵家之祖」的呂尚，也就是大名鼎鼎的姜子牙。《三略》的作者則是「張良拾履」故事裏的那位神秘老人黃石公。自古以來，《六韜·三略》就被譽爲「兵家權謀之祖」，姜子牙靠它輔佐武王興周滅紂，張亮靠它幫助劉邦定咸陽、滅項羽，建立西漢王朝。有人說《六韜·三略》這樣的兵法只適合在古代使用，這是大錯特錯的。因爲即使到了今天，也仍然有很多企業管理者把《六韜·三略》奉爲經典，並將它用於商業競爭、企業管理。雖然這是一本兵書，但它卻可以讓人擁有細緻的邏輯思維能力，學會如何從全局進行運籌和謀劃，學會如何鑒別和使用人才。就算是普通人，也可以在讀通《六韜·三略》之後，在自己的生活和工作中找準方向，實現最大的價值。

《孫子兵法》

在中外歷史上，有多少戰績輝煌的名將，隨著時間的推移，全都逐漸被遺忘了，但被稱爲「東方兵學鼻祖」的孫子以及他的《孫子兵法》，不僅沒有被忘卻，反而越發引起了人們的重視和崇敬。

《孫子兵法》自誕生至今已有兩千多年，在古代，它被廣泛地應用於戰爭，包括戰略戰術的製定、情報的搜集、戰區的選擇、攻防的轉換、作戰時機的選擇等；到了以「和平」爲主旋律的今天，全世界範圍內，《孫子兵法》都產生了極爲重要和廣泛的影響力。除了繼續在軍事、政治、外交等方面發揮重要作用和影響之外，《孫子兵法》還廣泛用於經濟、教育、商業、體育等各個領域，哈佛大學商學院甚至要求學生記誦《孫子兵法》的某些章節，以備日後經商之用。對我們普通人而言，通過《孫子兵法》來瞭解孫子的軍事思想，然後將其靈活轉化、應用，也足以給我們的學習、工作、生活帶來巨大的幫助。

《道德經》

春秋末年，天下戰爭頻仍，周朝守藏室之史老子棄官歸隱，騎青牛來到函谷關。官令尹喜求其寫下五千言，隨後西行，不知所蹤。《道德經》含有深刻的東方哲學思想，至今仍是人們認知宇宙與人生的經典，也被稱爲「玄而又玄」的學問。老子並非首倡尋找萬物總規律的人，從伏羲氏就認爲宇宙的一切總有一個根源，他沒有辦法用文字來說明，所以一畫開天，叫做「象」。那麼，把握規律就稱爲「執象」。由於執象依然有迷茫，於是才有老子破象而立道。但是，「道」究竟是什麼？老子說：「道可道，非常道」。他認爲祇有「致虛極，守靜篤」，「清靜無爲」才能顛覆性地掌握變化中的規律。現在人類的物質文明已獲得了高度發展，但是人類並沒有獲得幸福感，人類執迷於「有」，一再忽視老子的提醒「有生於無」。《道德經》於今人依然是最爲實用的經典，它可以重新梳理外在所有因素的趨勢，可以重新建立整體行動的框架，可以從身體的修真來鏈接萬物，由此來突圍今天人類的多重困境。

《鬼谷子》

他隱於世外，卻操縱天下格局；他的弟子出將入相，左右著列國的存亡，推動著歷史的走向。這個人因此被尊為「謀聖」，他就是鬼谷子。鬼谷子其人，神秘莫測，關於他的身世，眾說紛紜。相傳他隱居在雲夢山鬼谷，所以自稱鬼谷先生。他門下弟子孫臏、龐涓，都是用兵打仗的能手；另外兩個弟子蘇秦、張儀，憑三寸之舌推行合縱連橫之術，收到的奇效抵得上千軍萬馬。這樣的奇人留下的一本奇書——《鬼谷子》。該書原文衹有五千多字，卻是縱橫家流傳至今為數不多的代表著作之一，論述縱橫捭闔的秘訣。比如其中「欲取先予」的處世哲學，擴散開來就包含了很多個維度：從戰場上臨強示弱、扮豬喫老虎，到營銷上滿減贈送的優惠項目，再到投資領域的賭徒心理，都跟這四個字分不開。如果衹是把《鬼谷子》當成運用謀略、揣摩人心的教科書，就低估了其價值。書中還包括軍事、政治方面的知識，甚至還有養生的學問。《鬼谷子》包羅萬象，是先秦諸子學中的一顆璀璨明星。

《莊子》

莊子貌似窮困潦倒，但是他卻因精神超拔而早已名聲在外。楚威王曾派人來聘請他做官，只見他正坐在河邊悠然垂釣。莊子卻指著水裏搖著尾巴游泳的烏龜，對使者說：「與其做一隻被宰殺後供奉起來的神龜，不如像它一樣自由自在。」莊子是戰國時期道家學派的代表人物，繼承了老子「無為」的哲學思想，並且在宇宙觀、社會德用和養生氣論上均有推進。他所認為的自由，是無所憑依的，是順其自然的。正如鯤鵬變化，扶搖直上九萬里，這才是逍遙的境界。莊子又借小蟲、小鳥之口嘲笑大鵬，反映了淺陋之人難以領悟大道的真諦。然而大鵬畢竟要禦風而行，相比之下，無所憑依的風才是絕對自由的象徵。在別人眼中，窮困潦倒是苦，莊子卻以不受名利的牽累為樂。如果我們在工作和生活中遇到了一時過不去的坎兒，不妨用《莊子》化解內心的睏頓與焦慮，用「忘我」乃至「無我」的大智慧，用遨游天際的視野，面對現實的世界。

《世說新語》

年輕人必定向往「惟大英雄能本色，是真名士自風流」的生活，所以他們不會錯過一本被魯迅先生稱爲「名士教科書」，被今人叫作「名人酷生活實錄」的精選集。這本書記載了東漢末年到魏晉期間一批名士的言行。何爲名士？泛指知名人士，特指恃才自傲、不拘小節的牛人。因爲學者們的集體喜愛，特向國家教育管理機構推薦該書，進入中小學生的必讀書目。它就是《世說新語》。

沉浸書中，我們將置身於一個比現在更重視「顏值」的時代，領略魏晉名士們如何「一生不羈放縱愛自由」；嵇康、阮籍、劉伶們敏捷的才思、優雅的舉止、曠達的胸懷，甚至種種狂放怪異的言行，無不彰顯著自然率真的性情，彰顯著處於青年時代的中華文明那昂揚湧動著的生命力。我們可以品味到它的語言之美、生活之美、哲思之美，更能夠從中找尋到自己內心未被喚醒的詩意與對現實的超越。

《千字文》

《千字文》是一篇奇文，其問世充滿了傳奇色彩。梁武帝喜歡王羲之的書法，就命人從王羲之的眞跡中找出一千個不同的字來教子孫識字、練字，卻因雜亂難記，而沒有取得太好的效果。梁武帝就找來員外散騎侍郎周興嗣，讓他將這些字編成一篇通俗易懂的文章。周興嗣花了一整夜時間，編撰出一篇條理清晰、引經據典的韻文，不但文采超然，而且上至天文，下及地理，中曉人和，將各種知識熔爲一爐，實爲一部生動的小百科全書。周興嗣也因用腦過度，導致一夜之間鬚髮皆白。由於漢字簡化、異體字合併，所以現在《千字文》並不是一千個不同的漢字了。儘管如此，也無損其文采。作爲傳統啟蒙讀物，《千字文》的影響力延續至今。胡適從五歲開始念「天地玄黃，宇宙洪荒」，直到他當了十年教授，還在回味這兩句話，可見《千字文》義理之妙。我們可以從中感悟中國古老的宇宙觀，體會古人修身的規範和原則，讚歎燦爛的歷史文明，在恬淡的心境中安然自處。

《百家姓》

說起姓氏，人們熟悉的是成書於北宋初年的《百家姓》，它是我國流行時間最長、應用範圍最廣的蒙學教材之一，與《三字經》《千字文》併稱爲「三百千」。雖然《百家姓》的內容沒有文理，但讀起來朗朗上口，易學易記，可以讓孩子認識漢字，也可以指導孩子們的日常生活，建立好的生活習慣。愼終追遠，姓氏可以讓孩子們瞭解祖先的血脈延續，積累和傳承家族文化。從遺傳基因學上形成華夏民族的血脈相連與共同認知。光宗耀祖，詩書繼世，是中國農耕社會的優良傳統。姓氏文化在中國五千年多年的文明史中擔當重任，戰國時期的《世本》，較早地記載了從黃帝到春秋時期天子、諸侯、大夫的姓氏、世系、居邑，但是這本書到宋朝就失傳了。總之，要想瞭解中國源遠流長的姓氏文化，《百家姓》是一本必備的簡易入門書籍。「書香傳家」系列的《百家姓》，不但介紹了每個姓氏的由來，還列舉了各個姓氏的名人，兼具知識性與趣味性。

《容齋隨筆》

上過學的人都知道筆記的重要性，然而老師講的課是一樣的，學生的筆記卻各不相同。現在學霸的筆記備受推崇，因爲展現了他們卓越的學習方法和對知識的思考。古代文人記筆記的習慣由來已久，魏晉南北朝就有常璩的《華陽國志》、干寶的《搜神記》、劉義慶的《世說新語》等名作，這些筆記小說大多是見聞隨筆，或從書中摘錄片段的合集。唐宋以後，歷史掌故、辯證考據類的筆記多了起來。《容齋隨筆》爲南宋大才子洪邁（號容齋）耗時四十年整理而成，一共分爲五部分，有七十四卷，含一千二百多則，歷史掌故、典章制度、社會風俗、天文曆算、文學藝術，無不涵蓋，特別是歷史人物、歷史事件相關的內容，考證十分詳實，議論頗有見地，還糾正了不少經史中的錯誤，是宋人筆記中內容最豐富、學術價值最高的一部。《容齋隨筆》是一本國學百科全書，當成學霸的筆記來讀也未嘗不可，一方面可以增長見聞，一方面可以領悟讀書的方法，並以此爲博覽經史原典的敲門磚。據史料記載，偉人毛澤東生前非常喜愛閱讀此書，直至離世前仍由工作人員爲其閱讀該書部分內容。

《三字經》

在中國傳統的啟蒙書籍中，《三字經》必然是最經典的一部，幾乎人人都熟悉開頭那兩句——人之初，性本善。這三字一句的形式，很具備兒歌的特點，易於誦讀和記憶。《三字經》雖短卻精，且內容十分豐富，將歷史、天文、地理、道德等方面的知識和大量典故融彙串連在一起，堪稱是一部極簡版的中國文化「小百科全書」，因此有「熟讀《三字經》，可知千古事」的說法。《三字經》從誕生之日起就大受歡迎，廣爲流傳，與《百家姓》《千字文》併稱中國傳統蒙學三大讀物。讀《三字經》可以發現，書中不但歸納總結了許多古代的文化常識，還告訴人們應當勤學好問、尊師重道、謙恭禮讓等人生的道理，體現了積極向上的精神，雖已暢行千百年，卻歷久彌新，在當今時代仍然具備知識性和實用性的國學入門的作用，可以給人們以簡易的知識和正向的力量。

《傳習錄》

曾有人給出過這樣的評價，中華上下五千年，能「立德、立功、立言」三不朽的聖人，衹有兩個半：孔子、王陽明，曾國藩只算半個。孔子，至聖先師，無人不知；曾國藩，湘軍首領，中興名臣。而王陽明，最讓人熟悉的莫過於「知行合一」「心外無物」的「陽明心學」了。想要瞭解孔子，可以讀《論語》；想要瞭解曾國藩，可以讀《曾國藩家書》；想要瞭解王陽明，自然要讀《傳習錄》。《傳習錄》之名取自《論語》中曾子的話：「吾日三省吾身，爲人謀而不忠乎？與朋友交而不信乎？傳不習乎？」由此可見，想要讀懂《傳習錄》，需要具備一定的儒學經典的基礎。作爲儒家作品，《傳習錄》的核心自然也是明德至善，知行一體。而王陽明所提出的「知行合一」則是強調了要知善同時行動，即理論與實際的踐行。因此，讀《傳習錄》，能夠得到的最大收穫就是在日常的工作生活裏，摒棄外界的干擾，修養自己的良知，做到問心無愧，持之以恒。曾經做過三家世界五百強CEO的日本企業家稻盛和夫，就將陽明心學內化爲企業經營之道。

《了凡四訓》

命運是一個很神奇的東西。有的人認爲「命由天定」，但也有人堅信「我命由我不由天」。明朝學者袁了凡十七歲時因爲一位算命先生的話而深陷「宿命論」，直到三十七歲時在雲谷禪師的開導下醍醐灌頂、頓悟至理，確定了「命由我作，福自己求」的立命之道，此後數十年，袁了凡堅持行善、積極進取，最終「逆天改命」。「父母之愛子，則爲之計深遠」的舐犢之情，晚年的袁了凡有感於自己一生的經歷，給兒子寫下了《了凡四訓》，全書通過立命之學、改過之法、積善之方、謙德之效四個部分，講述了如何依靠後天努力來「修福改命」。晚清名臣曾國藩對《了凡四訓》極爲推崇，他讀過之後給自己改號爲「滌生」，並說：「滌者，取滌其舊染之污也；生者，取明袁了凡之言，『從前種種，譬如昨日死；從後種種，譬如今日生也。』」讀《了凡四訓》，讓你領悟命運真相，明辨善惡標準，堪稱人生必讀的智慧之書。

《紅樓夢圖詠》

相信讀過《紅樓夢》的人，一定都會被書中那些性格鮮明、栩栩如生的人物所打動，甚至對他們傾注或愛或憎的情感，大有恨不相識的遺憾。或許你會想，這些人物應該是怎樣的形象，比如什麼是「似蹙非蹙罥煙眉」，怎樣算「似喜非喜含情目」，「唇不點而紅，眉不畫而翠」會是什麼樣的美。那麼，有沒有人根據原著的描寫，捕捉人物的特點從而描繪出他們具體的形象呢？當然，爲《紅樓夢》創作的繪畫作品其實有很多，其中的《紅樓夢圖詠》是紅樓繪畫史上水平較高、名氣也較大的一部。這是一部木版畫集，共繪製了通靈寶玉、絳珠仙草、警幻仙子、寶玉、黛玉、寶釵、元春、探春、湘雲、妙玉、王熙鳳等共約五十幅插圖，以高超的版畫技藝，展現出畫作者改琦作品的神韻，所繪形象傳神，線條流暢。如其中黛玉一幅，便以弱不禁風的身姿，刻畫出人物「閑靜時如姣花照水，行動處似弱柳扶風」的氣質。

《芥子園畫譜精品集》

顧愷之、吴道子、張擇端、唐伯虎、齊白石等畫壇巨匠，留下了大量傳世名作。他們無不技藝精湛，卻也都是從零基礎開始學習的。每個人的學習途徑或許不同，如果有一套人人都能看懂的簡明教程，國畫技藝就會更容易讓普通人掌握。比如齊白石大師，原本是雕花木匠，二十歲那年在顧主家無意間看到一本叫《芥子園畫譜》的書，覺得書中循序漸進的講解非常實用，讀過一遍就對繪畫有了一定的理解。所以，即使說白石老人的繪畫藝術之路最初起步於此書，也並不爲過。此外，任伯年、黃賓虹、傅抱石等繪畫大家也曾用心研習此書。「芥子園」是清初名士李漁（號笠翁）在金陵的別墅，《芥子園畫譜》最初就是在李漁的主持下，由王概、王蓍、王臬三兄弟編繪而成的。本書具有完備的體例，對用筆、寫形、佈局等繪畫的基礎技法做了詳盡的講解和展示，解析了歷代名家的特點，匯集了前人的畫論精華，從問世至今，一直是學習國畫的必修教材。

《中國京劇經典臉譜》

「臉譜化」這個詞，現在一般用來批評藝術作品塑造人物簡單化和概念化。然而與此相反，這恰是「臉譜」這一藝術形式的優點，使其能夠貼合傳統戲曲的表現方式。臉譜，是中國戲曲中特有的化妝藝術，通過按照一定譜式勾畫出的圖案造型來突出角色的性格、身份、年齡、品質等特徵，已形成一些相對固定的代表性顏色，如紅色的代表忠勇、正直；黑色的代表勇猛、直爽；白色的代表奸詐、狠毒；藍色的代表剛強，驍勇；黃色的代表凶暴、沉著，這與歌曲《說唱臉譜》的詞很一致：「藍臉的竇爾敦盜御馬，紅臉的關公戰長沙，

黃臉的典韋、白臉的曹操，黑臉的張飛叫喳喳。」因此，臉譜具有「辨忠奸、寓褒貶、別善惡」的功能。《中國京劇經典臉譜》一書收錄的臉譜作品，是在漫長的歲月中逐漸演變、完善進而固定的藝術形象，每一幅都構圖精巧，色彩絢麗，筆法細膩，是不可多得的藝術珍品。

創作者孫世良先生是中國著名京劇劇作家、京劇臉譜藝術家翁偶虹先生的再傳弟子，北京市非物質文化遺產傳承人，就職於國家京劇院藝術中心，爲專業京劇臉譜畫家。

集

《楚辭》

《楚辭》的語言文字可以美到什麼程度？光是書中「茂行」「陸離」「微歌」「嘉月」這類典雅的人名，就足已令人驚艷了。《楚辭》的夢幻世界可以有多浪漫？有青衣白裳、箭指西北的東君，他是掌管太陽的神；還有與日月齊光的雲中君，他是飄渺的雲神。眾神都有人的情感，或泛舟江上，或歡聚宴飲，或幽怨哀傷。楚辭的產生，離不開楚國從「荊蠻」發展到「楚霸」的歷史條

件，長江流域的巫覡文化，與中原地區的禮樂文化相交融，就有了生機勃勃的楚文化。《楚辭》是中國文學史上第一部浪漫主義的詩歌總集，獨創一體，別具一格。全書以屈原的辭賦爲主，其餘各篇承襲屈原作品的形式，運用楚地的文學樣式、方言聲韻，故名《楚辭》。梁啟超說：「吾以爲凡爲中國人者，須獲有欣賞《楚辭》之能力，乃爲不虛生此國。」《楚辭》展現了以屈原爲代表的愛國精神、豪邁氣魄和浪漫情懷，因此熟讀《楚辭》，能培養書生狹氣，能讓我們一生受益。

《唐詩三百首》

璀璨大唐三百年，最具代表性的事物是什麼？是天可汗唐太宗李世民？是中華文明的巔峰開元盛世？還是一代女皇武則天？都不是，最能代表璀璨大唐的事物就是唐詩。在唐詩中你能感受到大唐盛世兼容並包的絕代風華，那裏有王勃從容浩蕩的英氣，有李白綉口吐出的巍峨之氣，有李賀苦吟的不羈之氣。在唐詩中你能領略到大唐的厚重，大唐的筋骨，那裏有杜甫的低沉恢弘之氣，有樂天自在的千百鮮明之氣，有邊塞狂歌的狷狂凜冽之氣。聞一多先生認爲：「一般人愛說唐詩，我卻要講『詩唐』，『詩唐』者，詩的唐朝也，懂得了詩的唐朝，才能欣賞唐朝的詩。」在唐詩中感受大唐，以詩教來熏習和浸染，觸摸到文化的江山，讓胸懷變得更寬廣更博大。不讀唐詩，無法面對優秀的古人，不知道東方情感之由來，亦不能精準表達自己的情感。

《宋詞三百首》

形成於唐，盛極於宋，前與唐詩爭奇，後與元曲鬥艷，是宋代文學最有代表性的成就，這種文體就是「宋詞」。可以說，有一定文化基礎的中國人都知道宋詞，也都可以不經意間脫口而出一二佳篇名句。如充滿豪情時，可以說「想當年，金戈鐵馬，氣吞萬里如虎」；心懷憂愁時，可以說「這次第，怎一個愁字了得」；陷入相思時，可以說「酒入愁腸，化作相思淚」。似乎每一種情緒，在宋詞中都已經有了完美的表達。如何更好地領略宋詞的精彩？《全宋詞》中收錄了一千三百餘位詞人的作品近兩萬餘首。顯然，通讀這麼多的作品並不現實，那麼優秀的選本便會大受歡迎。《宋詞三百首》就是這樣的選本。三百首不多，可以很快通讀；三百首不少，可以兼收各個時期、各個派別的衆多名家名作。這本《宋詞三百首》，囊括宋詞精華，讀後可以感悟宋詞之美，並初步瞭解宋詞的概況；所選皆爲名篇，便於背誦，有助於古典文學修養的提高，使自己不論言談還是寫作都更有氣質。

《唐宋八大家集》

提起「唐宋八大家」，很多人會問：「爲什麼没有李白、杜甫、白居易？爲什麼没有柳永、陸游、辛棄疾？」因爲這八個人代表了唐宋時期散文的最高水準，而非詩詞。我們都知道，唐朝是詩歌的黄金年代，而没有體裁和題材方面的創新，就不會湧現出那麼多不朽的傑作。白居易提出「文章合爲時而著，歌詩合爲事而作」的口號，倡導「新樂府運動」。與之相呼應的正是韓愈、柳宗元倡導的「古文運動」，他們同樣强調寫文章要言之有物。「言之有物」看似容易，我們上學時，語文老師講作文的時候就一再强調這一點，可是文筆不好就詞不達意，文筆太好又總是變著法地運用修辭、引用典故、堆砌辭藻，顧此失彼，文章難免會「金玉其外，敗絮其中」。「唐宋八大家」的文章，推崇先秦諸子和《史記》《漢書》，一掃六朝辭賦的艷俗與空洞，沖破四六駢偶的程式和窠臼，文章形式雖然復古，但是内容推陳出新，很接地氣，是老百姓讀得懂的古文，完美展現了中華文化的「文質彬彬」。這八位文曲星就是：韓愈、柳宗元、歐陽修、王安石、蘇洵、蘇軾、蘇轍、曾鞏，他們都有驚天地、泣鬼神的千古文章傳世。

《小窗幽記》

互聯時代來臨，世人莫不在加快節奏追逐社會步伐，關於生活的本真、人生的目的，人們實在難以顧及。有一部書，用它雋永的文思，淡雅的文字，指引你爲人處世，開導你在平淡中領略人生，它就是《小窗幽記》。「花繁柳密處，撥得開，才是手段；風狂雨急時，立得定，方見脚根」這是勸誡成功者的良藥；「情最難久，故多情人必至寡情。性自有常，故任性人終不失性」這是冷靜處事的心思。「興來醉倒落花前，天地即爲衾枕；機息忘懷磐石上，古今盡屬蜉蝣」這是過來人燈火闌珊處的迴眸。明代陳繼儒以其豐富的經歷、遠博的思想、高峻的修養撰得《小窗幽記》這部奇書，將修身、立德、爲學、致仕、立業、治家、養生的全部智慧和原則融入此書，文字跳脱愜意，格調超拔，以小喻大，充滿了諧趣與真知。面對人生，作者給出的答案還將久久的流傳下去，那就是「時光，濃淡相宜，人心，遠近相安。流年，長短皆逝。浮生，往來皆客。」

《納蘭詞》

他是文武俱佳的翩翩公子，他是康熙皇帝御下一等侍衛，他是才華橫溢的傷心詞人。他，就是「清詞三大家」之一的納蘭性德。納蘭文武兼修，十七歲入國子監，十八歲考中舉人，二十二歲康熙賜進士出身。深受康熙帝賞識，多隨駕出巡。三十一歲英年早逝。納蘭性德二十四歲時將詞作編選成集，名爲《側帽集》，又著《飲水詞》。後人將兩部詞集增遺補缺，共三百四十九首，合爲《納蘭詞》。「今古河山無定據。畫角聲中，牧馬頻來去」是對山河流逝的慨嘆；「山一程，水一程，身向榆關那畔行，夜深千帳燈」是長途行軍中軍士的苦悶；「被酒莫驚春睡重，賭書消得潑茶香，當時只道是尋常」是失去妻子的丈夫回憶與亡妻昔日美好的酸楚；「西風多少恨，吹不散眉彎」展現的是深情男子的無盡哀思。

儘管清詞成就比不上宋詞，但也在文學史上留下了自己獨特的印記。清詞代表《納蘭詞》，不僅在清代詞壇享有很高的聲譽，而且在中國文學史上也佔有光彩奪目的一席。翻開《納蘭詞》，走近這位傳奇男子的一生，去體味，去發現，清詞怎一個「真」字了得。

《曾國藩家書》

有學者說：「五百年來，能把學問在事業上表現出來的，衹有兩人：一爲明朝的王守仁，一則清朝的曾國藩。」曾國藩作爲集政治家、戰略家、理學家、文學家、書法家等於一身的晚清名臣，因官居高位而無暇著書立說。不過，他寫給家人的大量家書，就成爲瞭解曾國藩的第一手資料，同時也是瞭解清末社會狀況的寶貴史料。家書，即家人之間來往的書信。在古代，家書是離家在外的人與家中親人的主要聯係方式之一。家書可簡可繁，可以只表達思念及關切之情，也可以暢敘經歷及感觸，通常都很真實，沒有虛假客套。《曾國藩家書》中收錄了曾國藩寫給祖父、父母、叔父、兄弟、子女等不同人的書信，其政治理念、治軍思想、治學修身、治家教子、處世交友等也都在其中得到了充分的體現。這些內容使這部《曾國藩家書》除了具備史料價值，還是一部生活處世的實用寶典，對我們的日常生活也有可資借鑒的意義和價值。

《人間詞話》

「最是人間留不住，朱顏辭鏡花辭樹。」作爲民國時期最爲著名的國學大師之一，能夠寫出這樣優美的詞句，對王國維來說實在不算稀奇；相較於他的詞作，《人間詞話》才是真正讓他在廣大文藝青年心中「封神」的傑作。就算是沒有看過《人間詞話》的人，也能隨口說出「古今之成大事業、大學問者，必經過三種之境界」。作爲中國文藝理論里程碑式的作品，《人間詞話》首次將西方美學思想融入到中國古典詩詞的點評中，你能想象，這樣一本薄薄的小冊子竟然蘊含著康德、叔本華的整套美學體系？更爲重要的是，在這本書中，王國維融會貫通，提出並建立了獨特的文藝理論體系，並成功勾起了廣大文藝愛好者們對於古典詩詞的興趣，很多人就是從這本書開始，成爲文學家、學者和文藝批評家的。如果你也對古典文學特別是古典詩詞感興趣，那麼一定要讀一讀這本《人間詞話》。

圖書在版編目（CIP）數據

楚辭 /（戰國）屈原等著 ；崇賢書院釋譯. -- 北京：北京聯合出版公司，2015.8（2022.3重印）
（書香傳家 / 李克主編）
ISBN 978-7-5502-5739-9

Ⅰ. ①楚… Ⅱ. ①屈… ②崇… Ⅲ. ①古典詩歌－詩集－中國－戰國時代②楚辭－注釋③楚辭－譯文 Ⅳ. ①I222.3

中國版本圖書館CIP數據核字(2015)第164727號

崇賢館微信

書名	楚辭
著作者	（戰國）屈原等 著 崇賢書院 釋譯
出品人	趙紅仕
責任編輯	李 徵
出版發行	北京聯合出版公司
地址	北京市西城區德外大街83號樓9層
	郵編：100088
策劃經銷	近道堂
印刷	吳橋金鼎古籍印刷廠
字數	一百一十七千字
開本	宣紙八開
印張	十八點二五
版次	二〇一五年八月第一版
	二〇二二年三月第四次印刷
標準書號	ISBN 978-7-5502-5739-9
定價	肆佰捌拾圓整（一函兩冊）